Word Search & Doodle

P K C D I U U F T G Y J E N C N Y P Z Z

K N O I N K G V N B A D L A C D E X I S

C S Q S D R N M E D A V B E B I L Y E E

W H F A E E I E R I D E A M O R F R V L

D O N G C V T V R R R M N F F T B Q I I

E C A R E I S D O E U Y I M M Y B C S V

T K D E N S U E H F N D M Z O O O Y N G

E I R E T L G U B U L U O C O N Y Q E N

S N E A T U S G A L Q D B O T H Q U F I

T G P B M P I L R K N V A E E L H R F L

A M U L K E D Y V A O A M L V P D T O L

B A G E X R V P S W W P M J U M P X T A

L F N S G X D U T F T T I F A F A S L P

E V A S A R O H U I D K I B G N E X X P

B S N G K E I L B E E O X K M A A T D A

A F T J D I G L E L B I R R O H J S A A

S S F I T S E T N A S A E L P N U W T H

E A H W H J X N G V G N F P R J D P U Y

P E L B A R C E X E Q X U Z G B J H T O

R E V O L T I N G E M O S H T A O L A L

MEAN MAZE

- ABHORRENT
- ABOMINABLE
- APPALLING
- AWFUL
- BAD
- BASE
- CONTEMPTIBLE
- DETESTABLE
- DIREFUL
- DIRTY
- DISAGREEABLE
- DISGUSTING
- EXECRABLE
- HATEFUL
- HIDEOUS
- HORRIBLE
- INDECENT
- LOATHSOME
- MEAN
- NASTY
- OFFENSIVE
- REPUGNANT
- REPULSIVE
- REVOLTING
- SHOCKING
- UGLY
- UNPLEASANT
- VILE

W A F B O U W V Q C S O I D I V V P F B
H D B N F W R Z F U J Y F F Z L H U N F
D J A T V G T U R N O V E R C K P P F T
L O A Z S M I C N O Z E N E C Z W M C E
M C C E P A J P V N Z Q U B B L J U H U
U I U G Z Q F W U E V R Y S A X O J P D
C R F S A O G K V N O U I E I W F C S D
A N L U U B O N A R O G N N N P Y N K K
N Q N F V G G N A E Q T U L G U Y X D H
D V K E J V Z D S L R X Q R S S L D D E
C R E P Q H D V D J C B P E B N R U C A
W Z F S A A M E V X E I I U E U A T L I
I R Z Z I Z V D E S C R X U E S E E U N
S B X U J O F G I I C L Z D J K R I E K
H I R O B E N R S B R P X A I T A J G A
O R A Y A W N U L A F R V W I V T W L C
U P H E N Q M A D J U C J N E K O A O S
T G D W V B S I F E H W F M N A R U J U
X Z B B M T O R L L W O R G G M T U K D
I Z W O C S K E X P L U U X H V S Q P P

WAKE UP!

- ALARM
- ALERT
- BLAST
- BREAKFAST
- BUZZ
- CLANG
- CLOCK
- CRIES
- DAWN
- EARLY
- GROWL
- JUMP UP
- MOAN
- MUSIC
- NOISE
- RADIO
- RING
- RISE
- SHOUT
- SNOOZE
- SUN'S UP
- TURN OVER
- WAKE UP
- YAWN

O D D Y N O I S S A P M O C E H D O R D

X H S J E A L O U S Y P G G T R E V G Q

Q S P S D P U O O R Y F A B E Y Y U M B

Y L J N E C P I T Y P R M A K F A I T H

E M A H S C Z K C P U R D R P R I D E D

G M J X C E C C N O M F I R I U F D G G

T Z H E A F S U C Y C E S S A A A I L D

J A W L R N F P S W H X T P E Y T S O Y

O T E O F I T T I B D O D N C D I M V T

F P J F R X S H S T X M N E O E G A E I

Y D E D E R L E G E E J O E L C U Y C D

N H C C N D Y G D I Z L B D S I E L I I

Y T T Y T I N G I D R B H N E T G V M M

O E Y A O S E E C B B F G F G R Y H K I

R R Q M P E S C O N C E R N T O O G T T

S G Y A T A T S U R T K J B S N R B M B

Q E G H C Y T I N A V U F R L I E N J U

W R Q L X X R E H I U U M M E I I L E O

F E A R L J Y V S Q H J W F P M S R A D

U E F E A Y T E I A G V Q Y T H C S A T

EMOTIONAL

- APATHY
- BLISS
- BOREDOM
- COMPASSION
- CONCERN
- CONTEMPT
- COURAGE
- DEFEAT
- DELIGHT
- DESIRE
- DIGNITY
- DISMAY
- DOUBT
- DREAD
- FAITH
- FATIGUE
- FEAR
- FRIGHT
- GAIETY
- GRIEF
- HONESTY
- JEALOUSY
- LOVE
- PITY
- PRIDE
- REGRET
- SHAME
- SPITE
- SUCCESS
- SURPRISE
- TALENT
- TIMIDITY
- TRUST
- VANITY
- WORRY
- ZEAL
- ZEST

W B I T I M T A S E Y W A T E R D O J R
Y R F L I N L X S R F G I B X N X C R C
J U O Z I N S E E Y E L L O W G O V N P
I S O A H H T L M T N E L A T N H S A W
R H P W A W L I V B U H Y M S H M F V N
D E R D D A E N E C S J L T U C H U E S
L V E J G P K Z Q L G A A M F T O A M B
S J X A F F I Y U M I B V X H E Z C C L
N E F L Y O A C X S L C U N J K I T Z L
P A G E D R T T T E T H N R A S E G E I
Z S B B A M G C H U A I V E T C R U X M
C E T Z F G E A A E R F L R P E L R F D
F L P Z A O P Y R R H E T L E B O E R R
D N Z R S Q A S H T T A F N L K V P E O
H R T M X L C R I S I S Y R X I D A T F
D M A U G I S U F U M S B W A M F P N T
Z R D W R O D O F T Q T T A A M R E I A
J H Y E J A N L V Q L R Y X O I E G A L
K L A H C Q A O L J C K O O L G N Q P F
I B C U A G L C L G M U I D E M A C Z R

CONSTABLE COUNTRY

- ABSTRACT
- ART
- ARTIST
- BLUE
- BRUSH
- CANVAS
- CHALK
- COLOURS
- CONSTABLE
- DRAW
- DRY
- EASEL
- FLATFORD MILL
- FORM
- GALLERY
- GREEN
- HUES
- LANDSCAPE
- LOOK
- MEDIUM
- OIL
- PAINT
- PAINTER
- PAPER
- PENCIL
- PICTURE FRAME
- RED
- SCENE
- SHADE
- SKETCH
- STILL LIFE
- TALENT
- THE HAY WAIN
- TINT
- WASH
- WATER
- YELLOW

T S S V O A R E T P O E L O C A B T Q H

C U O A N L G I R E T S A A Z Z G F C R

H J A K G U E Z M Z A M E N I C N N U A

A C L H D I B S J O O D Q X U U Q M P A

R O L U Q M B W D N K G K F K J R J O Z

I B I X F K E J I A E C A T S U R C L N

S R H A T F B C A C U F T S Z N J M A E

M A C N I A R R Z C O N C E R T I N A D

A M N O J A T W C C A L E N D U L A U A

D O I R C N N Z A T A L O P I H C O W C

R C H O O Y T W J Y A M M O C G C A C D

H F C C Y C A M E R A A M Y Q M M L U C

A Z C V A C A N A S T A N Y F X B L R I

A I R E T E F A C Z A O Y I O L Q O I C

N F I M W D S Z G A F F N E R W A R A A

C Q T W Z M A I L L E M A C W A X O R D

O T E Y C A I P O C U N R O C Q C C U A

C N R P O J Y A R O V I N R A C F W D S

O T I G D L S N M X S Z B P Z S L Y E I

A W A V A B V M W C A N D E L A B R A I

C-A

- CADENZA
- CAFETERIA
- CALENDULA
- CAMELLIA
- CAMERA
- CANASTA
- CANDELABRA
- CARCINOMA
- CARINA
- CARNIVORA
- CHARISMA
- CHINCHILLA
- CHIPOLATA
- CICADA
- CINEMA
- COBRA
- COCOA
- CODA
- COLEOPTERA
- COMA
- COMMA
- CONCERTINA
- CONTRA
- CORNUCOPIA
- COROLLA
- CORONA
- CRITERIA
- CRUSTACEA
- CUPOLA
- CURIA

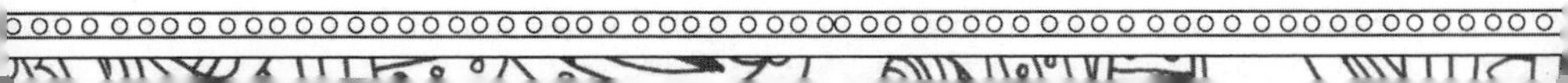

D O E R P I E D U N C F N P T Z B G S U
O T H G I L I A J X J H L I A U Q J I F
C H W H T O M K B E V H S P Y W X Q Q R
T W E E D K S L W X L S V S Z R O U G E
T O P S K N I O W D I D F L T U O R T C
N O T H O T S P O T S O V E L A C O L K
L S P O O D Z G E X R B L E M I S H F L
U O T T L W O K D A L M A T I A N A Z E
P H N A O E X M A D W E C I D S R R R S
Z I N M I P C U I D S T G Q I E U M U K
P G O L B N S O I N T L I Z A R D D G C
S L I D A O T N D N O R D E L T T O M S
E U P R T D X M U M D E O D K C E L F L
C X O W A E R E F S Y Q S S T A R S Z I
E C A Q F F H A S X R K F P C A E P V X
Q C H M T S F O P E P E A C O C K E R H
L V A L Q T C E D O E P C E Q S K C X L
H I R L X L R I B I E H O S P A M K I P
D P A Z P A P R T T D L G V I X O S U A
A E E S D S R X O I Z V X S K R A M X R

ON THE SPOT

- AREA
- BLEMISH
- DALMATIAN
- DICE
- DOMINOES
- DOTS
- FLECK
- FRECKLES
- GIRAFFE
- HOT SPOTS
- INK SPOT
- LEOPARD
- LIGHT
- LIZARD
- LOCALE
- MOLE
- MOTH
- MOTTLED
- OCELOT
- PEACOCK
- PIED
- PINTO
- PIPS
- PLACE
- POLKA
- QUAIL
- SEE
- SITE
- SPECK
- SPIDER
- STAIN
- STAR
- SUNSPOT
- TIE
- TOAD
- TROUT
- TWEED
- X MARKS

T	S	I	L	Y	D	S	T	E	Y	W	A	N	X	I	G	U	T	D	S
R	I	X	A	G	X	H	I	T	S	H	O	R	H	B	I	Y	T	R	V
Q	C	U	G	P	F	O	A	N	B	U	A	A	Z	A	I	H	E	U	C
K	S	L	S	Z	L	E	N	W	O	G	O	S	X	U	N	P	L	F	I
J	T	C	G	P	Q	S	B	A	M	S	C	L	T	H	P	G	H	T	U
U	R	J	U	V	M	J	D	C	D	F	N	P	B	I	F	Y	E	H	D
M	I	S	T	I	A	U	V	P	R	S	R	X	L	P	D	P	R	R	W
P	H	W	Y	Q	R	I	J	K	M	E	H	S	R	N	P	V	T	C	S
E	S	K	Y	A	S	B	S	L	T	K	S	E	H	Z	J	E	O	N	T
R	G	K	P	F	A	G	N	A	S	L	T	F	L	Z	S	T	O	O	B
I	A	T	K	L	R	L	E	T	D	T	D	O	E	F	W	E	W	D	F
A	S	T	T	Y	D	W	L	P	A	N	T	S	J	S	E	P	E	Q	R
Q	J	W	P	S	S	E	X	J	D	I	V	A	O	N	L	A	U	R	A
Y	N	W	C	T	B	X	V	N	R	U	E	Q	A	A	Y	C	U	Q	Q
J	L	A	M	T	B	S	J	K	V	R	S	L	S	E	J	D	F	B	E
A	E	P	A	B	H	J	Y	C	W	P	T	T	B	J	W	M	Q	V	H
C	H	O	L	S	H	Y	T	A	H	E	A	O	W	Z	P	G	D	U	H
K	C	H	Z	X	I	G	G	G	J	H	R	D	W	G	D	R	E	S	S
E	Q	M	C	Y	U	N	R	B	L	L	C	S	L	A	C	K	S	T	P
T	S	K	I	R	T	Y	T	E	E	W	Z	M	E	Z	J	M	F	Q	T

CLOTHES CALL

- BELTS
- BLOUSE
- BOOTS
- CAPE
- COAT
- DRESS
- GOWN
- HANGERS
- HATS
- JACKET
- JEANS
- JUMPER
- JUMPSUIT
- PANTS
- ROBE
- SHELF
- SHIRTS
- SHOES
- SKIRT
- SLACKS
- SLIPPERS
- SWEATER
- VEST

G I B O G E H V D P R J A F X N V B H B

I X H K N A Z U V T C B C B E Q I I D Y

D M N U L V N Z T A E U L F V I W O E F

E O T R E N F O O A S H U Q C I W V S Q

D R U E T O Q L E D A N E P L N N S P F

T K A P T I B I G E R E H L S K U S B Q

G P R A E T O C G F E T X C O N M M O F

D I W P R A I N Y I X H B M L I B M U X

N W C S S I D E S N R E P K V H E F G R

V X R W N V F P A I B R C D E T R E Q J

I Z O E E E Y F E T R X N S S K A M H N

J K S N H R R F N I A P S G Q G G N E M

P W S O P B A T B O S F D J U E N J B B

X T W M Y B N X G N S T L P A D R A C E

G U O L H A O N I Q O Z Y M R W O S L O

U W R Y Z F I Z B D R S N B E Y O G N S

N K D E Q G T O L L C A Y U Q Y S R D N

L R I H P R C H N O A J Q H W R F D D E

T N J K C I I U V C T P S R I V F T N S

N B H A R D D C V O Q E F Y E L Z Z U P

CROSSWORD CLUES

- ABBREVIATION
- ACROSS
- CLUE
- CROSSWORD
- DEFINITION
- DICTIONARY
- DOWN
- EASY
- ERASE
- FUN
- GRID
- HARD
- HYPHEN
- LETTERS
- NEWSPAPER
- NUMBER
- PENCIL
- PUZZLE
- SLANG
- SOLVE
- SQUARE
- THINK
- WORDS

F D I U R S A A O J M A I M Z C L J S F
J P Y T K M C L A I M I T Y O I X E N D
I S H A R E A V Y A N Y B C I D O D E J
Q N G B R W Y T G G N Y A L P F N C Z A
X O T L O W W R C B C L G J V C N A K C
F T K O L S P S M H V O U A C A A A R K
Y R N T L N E R E S O M K C H H D S Z P
A Q O T O Q F C I D Q O I C K T E Y H O
M K I E V L K P C Z E C M L Y Y L Q X T
O X T R E E R A P N E T H X L K W J U U
U S A Y R N U J I I E S U R E I A A M E
N H C W T S U N B L L S D E Z T O O R J
T Q O Y E Y Y M E O S S W N A E N N R D
K P L S H T A V B N A I Y C U E G K S L
Z W L K R B I D H E H R X A Y O L B I A
U I A O R S V R R V R D D N P O P V W N
H N F F E U D G G U H S X R X F E E Z L
P N Z D B A L L S W T S E L E C T R G D
C E H E W D V E S H J A H D X S U N O B
P R I A V P I T S G F Y S T E K C I T K

IT'S YOU!

- ALLOCATION
- AMOUNT
- BALLS
- BOARD
- BONUS
- CASH
- CHANCE
- CHECK
- CHEQUE
- CLAIM
- DRAW
- FORTYNINE
- GOOD CAUSES
- JACKPOT
- LIVE
- LOTTERY
- LUCKY
- MATCH
- MILLIONS
- MONEY
- NUMBERS
- PAYSLIP
- PLAY
- POUNDS
- PRIZE
- RANDOM
- ROLL OVER
- RULES
- SATURDAY
- SELECT
- SHARE
- SIX
- TELEVISED
- TICKET
- WEEKLY
- WINNER

V W V U D K O I K A G L N Q D L G P E B
H I N P F G R N M D N I X K M V F J Q A
J M A O V L O P J C I S S U J H Z K O I
X A D N D R H A H C L T R U L E S O K T
J Q R D A Q P P B O L E E L S S M T U O
M P X G T O A I I N E N W F R P Y M K J
D P K Q O S T U J V P C L N E C R A B C
T A D G N N E Q A E S I F M W X C O S G
A T M K O I M Q B R S Z F D S P Y X S Z
L O A J M S D K P S D R O W N H R D X E
K I R L C D R H C E E P S C A I F J U Q
I S Y D E D G A A D W G O F E G A S U S
N Z V D S X E V E E G M I H T R X P I B
G A M Z A L P U C H P U U M A P L D L R
S S L O R Y R N G O U S V K R P E A Q E
X S H H H V X Q S R M V J P O K H Y S V
B T L E P Q F I Q O A J X B S X W T L Q
P V G A P M N E I X U Z U A K V D Z C C
S D W W N G U D C P R I N T N D Z P B W
I M N X I G I T M U Y R T E O P Y J P Y

SPEECH MARKS

- ANSWERS
- ARGUED
- ASKED
- COMPOSING
- CONVERSED
- HEARS
- IDIOMS
- JARGON
- LISTEN
- METAPHOR
- ORATE
- PATOIS
- PHRASE
- POETRY
- PRINT
- PROSE
- RULES
- SAYS
- SLANG
- SPEECH
- SPELLING

- TALKING
- USAGE
- VERBS
- WORDS

R E C O G N I T I O N O Y C V Q Z G J V
K Q T O K X Z K P F E P G P T P L I U A
S E T A T S E K G U X U M A V O K D N R
D B S C B X N R Q B A L C N R B N O D G
A T P M O D R A T S L E T Y Z J T S B T
E J O G R A N D U D T N P O Q E Q U K B
L T T E C N E N I M E C E B T D W C T D
Y W L A J V D N V Q D E G L E X E C H M
C E I K I S I O E A B S I N S D M E G W
N A G X Q M R T L H L C T V S J V S I X
A L H M S B P A M P B U S W A D M S M T
I T T I Z E R B S E I T E K C A R E E R
L H V W X S T L N A E F R V E H B E D E
L E M E H C S E Z C Q E P V A C D X W N
I P E N C H A N T E W H K Q Q J R U I U
R C R A N K C B N O X Y K Q S Y V O E T
B X S U T A T S P E S U A C T C Z M F R
X F Y T N E M E V E I H C A O B A Z R O
Z V Z J L P T G Y T U A E B X F V I Z F
S C H O L A R S H I P I G X T W P R R N

SIGN OF SUCCESS

- ACHIEVEMENT
- ASSET
- BEAUTY
- BRILLIANCY
- CAREER
- CAUSE
- EMINENCE
- ESTATE
- EXALTED
- FAME
- FORCE
- FORTUNE
- GLORY
- GRAND
- LEAD
- MIGHT
- NOTABLE
- NOTE
- OPULENCE
- PEACE
- PENCHANT
- POWER
- PRESTIGE
- PRIDE
- RANK
- RECOGNITION
- SCHEME
- SCHOLARSHIP
- SPOTLIGHT
- STARDOM
- STATUS
- SUCCESS
- VALUE
- WEALTH

M A R T I N S O L R S V Y E P O U U U K
W R N S L G T O V W R E S N O W B A L L
H A E H Y K D M D X Z L S T T R Z D J S
I K Y E H X H O U A V R A U E I Q C W J
S D N D B D C J Z R V U R O V N P G T Y
K O J Q X B L V P I N L R T L P E V M O
Y V Z N R L I G U L A A A S E G R C Z C
I S E A E B M S L S T H C C V I N U F C
G Z N R T Q U N Q I T T K O K M O M X R
J D M E S E A T U S A S C T C L D E N E
Y F B V B R R I E S H I E R A E N A R G
L P Z I D U F A E A N F K O L T N D M A
K P T R K F B M L C A G A P B E U E N L
H W G D J O E A K C M M S L K V A S S M
D H T W H L I R E T S I N A Z U N I G E
O C U E O O L I I J Z O X M Z R E D I C
N S F R C R K A S M O Z T I V O V I L S
N R Q C K O C R O B R O Y G U N J E X V
P I J S Z S J I T O X O N I F O X H N M
E K A M R O F W K S L Y T E Q U I L A I

CHEERS

- ARRACK
- BEER
- BLACK VELVET
- BRANDY
- CALVADOS
- CASSIS
- CIDER
- CLARET
- FINO
- GIMLET
- GIN
- HOCK
- KIRSCH
- KVASS
- LAGER
- LIEBFRAUMILCH
- MANHATTAN
- MEAD
- OLOROSO
- OUZO
- PERNOD
- PORT
- PULQUE
- RETSINA
- ROB ROY
- RUM
- SAKE
- SCREWDRIVER
- SLIVOVITZ
- SNOWBALL
- STOUT
- TEQUILA
- TIA MARIA
- VODKA
- WHISKY

D I A M F K G J Q T H F U M G U N D E R

J X F A L Y G H L L C F C X T J D W V O

C N G V Z M W P U C J G I S E O T Q N Z

Y E Y L O G R E E N A E O X Y Y B V T P

X P A L N J X D A D Z K K I C P X K V F

K O V D E J E H D N W B M U N C H E O S

E Z I R P N E O D N L E Q L U O B E U R

Q R R M R V B I Y O C E D Z O K Q P S D

Y E M A E I K G H Y A R D S N U Z W L J

D W E K U D H B G V C E S A V A M S I R

Z O O T I E O E Y R R D K W N R D G C M

C L C V F A N Q N O C O W J W R X W E K

T F P T V L Y I A E A N M C A F P N B D

N E E K I Q H S M M R N A C L A O Y K F

I V G P K U T C O C E T G C L G J H W N

O W I Z B N Q J S E E V W E I W G J R L

J E T T I M R E H B R R A A G L C A V F

I X L E C I W T R E F H O N H P E A R I

W O M E E L B I B X K S O W X L I N Y I

U J K Q P A C R O B A T T O A L T H Z G

A TO Z

- ACROBAT
- BIBLE
- CAREER
- DECOY
- EARNED
- FLOWER
- GREEN
- HERMIT
- IDEAL
- JOINT
- KEEP
- LEARN
- MAID
- NOUN
- OPEN
- PRIZE
- QUIT
- ROAST
- SLICE
- TWICE
- UNDER
- VASE
- WALL
- XEBEC
- YARD
- ZONE

R H V N L J P R X P O U N D A G E L R R

Z F Z F I K L E K E H S O E Z A A V K B

T D R A M A F H E F T Y J C D D M I U Y

T N C F G A G I X O D I X T E E L R T A

P U M H T K Y T I S E B O N V O D M O Y

S M U R U P R A B A G E A I G E A G N O

A T U Q E N C X U C B R S R N R Q G S K

X D Z L D D K L L D M S A S G J W M E E

M A H F P E Y Y K Z A M O X X Z X D S E

E O X K S S L H S M S M F R A I O D U J

G L F U T U N E C S E U W T A R A C O C

A P D O T I O T P A E P O E W F Y T R O

T S U D A A Y T C H P R Y R I V C V E R

O T Y H H S J E N M A L T K E G J H D P

N U C Y S N E N Y E E N A S H N H E N U

U Y H S E L F O I B T B T T N X O A O L

X T A W R M Z T R K B R C I N Q F V P E

F M L E M E N S Z O X U O T N E N Y K N

Y R S Y L T R O P S Z T H P F E C X R C

Z L E A D E N T I M T A W C V Q C A C E

WEIGHT A MINUTE

- BULK
- BURDENSOME
- CARAT
- CENTAL
- CHAIN
- CHUBBY
- CHUNKY
- CORPULENCE
- DRAM
- ELEPHANTINE
- FAT
- FLESHY
- GAIN
- GRAM
- HEAVY
- HEFTY
- KILOGRAMS
- LADEN
- LEADEN
- LOAD
- MASS
- MASSIVE
- MEGATON
- OBESITY
- ONEROUS
- PACHYDERM
- PLUMP
- PONDEROUS
- PORTENTOUS
- PORTLY
- POUNDAGE
- SHEKEL
- STONE
- STOUT
- STRESS
- TONS
- WEIGH
- YOKE

S C H F K Y T S W I D T N A E B B A R C
Z F N R N B M M W S H Z T F I W S H L X
G K O L X O F Q R A M W T B L P U H L X
X U T Y X A D P C K C E R C X N W Y O U
W F L S D R Q K D D N E S A F I O B R J
R W I V A N E E Y N C C G C S K R R R O
A P M P J R F Z Y U O M G J P S S O A X
L R P U A O K S A T L R O K D U W W C Q
E O V Y E H O H T H V M L I I R O N Q S
C M J M A N C H T D Z H D P C D R I P A
Q D C A I T T E S S O R S L K N T N S C
A M S H A K S P E A R E M I E A H G J U
V X V M N Z H U H D H X I N N Y Q R J L
Q Z E N L I M D T Y L X T G S N O B A R
T G R A H A M E C T R O H D M U L Y Z Z
O Y H U Y E L L E H S F K C D B B T N R
I S Q L R B J G D K X S T E V E N S O N
L F E G D I R E L O C D P U G C G F B G
E E I A J T B A R R I E D B M A L N U W
A M B R O N T E P Q Y H S K E A T S H N

WELL READ

- BARRIE
- BRONTE
- BROWNING
- BUNYAN
- CARROLL
- CHAUCER
- COLERIDGE
- COPPARD
- CRABBE
- DEFOE
- DICKENS
- ELIOT
- GOLDSMITH
- GRAHAME
- KEATS
- KIPLING
- LAMB
- LUCAS
- MILNE
- MILTON
- ROSSETTI
- RUSKIN
- SCOTT
- SHELLEY
- STEVENSON
- SWIFT
- TENNYSON
- THACKERAY

C T B G Q O L E M O N Z V P U M E I A F

G U O L D K K W J A M Q S P K V W N C C

T N R Y E M R I A L C E E U B T R A T R

G H A A S S E I C E C R E A M U A N K E

V G N A S O D R C O C O N U T B U J Y A

Y U G N E E T K I V L F A F H W F R T M

K O E K R S T U N N U E C I L S R E P S

C D O J T U U K M D G N I C I E U T P L

I A A G B P J D G C J U S R H O I A M B

T J X C P F S E E Y U J E C P O T L C D

S Y W Y J B T T G J R S O U K C O O A W

S Y R U P R R R N L E A T J P A N C C A

G C P I P A A E O H L T G A N K K O B F

S J L H U B W A P C X O N U R E L H W E

P K K F D U B C S I T F Y Z S D D C N R

A E P R D H E L K R E F I L L I N G T E

N L A H I R R E C U S E P F U H O F E P

M T A R N I R D K O W E J O A W O P E N

Z U S M G G Y Z O B L E M A R A C S W E

G E I P E L P P A N M U A L M O N D S T

SWEET TROLLEY

- ALMOND
- APPLE PIE
- CAKE
- CARAMEL
- CHERRY
- CHOCOLATE
- COCONUT
- CREAM
- CUSTARD
- DESSERT
- DOUGHNUT
- ECLAIR
- FILLING
- FRUIT
- FUDGE
- ICE CREAM
- ICING
- JAM
- LEMON
- MERINGUE
- NUTS
- ORANGE
- PEAR
- PUDDING
- RHUBARB
- RICH
- SLICE
- SPONGE
- STICKY
- STRAWBERRY
- SUGAR
- SWEET
- SYRUP
- TART
- TOFFEE
- TREACLE
- WAFER

N M G B U X Y Q D H Q K I J H E K F H O
L A A H W L N A N G A R E D D U R U T T
O R L J H W R E K A N N I P S Q D E P U
I I L W K A T F U A K E G R S H T S Y O
K N E F Y Y C L Z X F T M P U A A J I B
E A Y D S M L E H E F S N L O P C X H U
T R E T A W F S I S R E L W O V K P G U
C E T S A M R M T I O T H C A Y H S X S
H F D M R S E E H U H M U L S D K N Y G
S C W N X O E E C R C V B L N R K D B X
T B R S G D B L N C N L N I A A R G A N
A R E T F A O A U S A E W W P A N Q T A
R K O K W D A F A N H V L O W I S G T R
B C C P V C R P L R S U O E G R L U E A
O D V E Y S D E N E B L E G K K Q W N M
A Y R O D B R V S T S L I A S B S V K A
R H U A R Z G T V S A R J N I B A C E T
D B J N B A W E I G H U R E S W A H E A
I E Q S P A R A I E O K T U G R M I L C
J H A K A V B O O M Y R A N R H H N R Q

SAIL AWAY

- AFT
- AHOY
- ALEE
- ANCHOR
- AWEIGH
- BATTEN
- BOOM
- BULWARKS
- BUOY
- CABIN
- CATAMARAN
- CRUISE
- DECK
- FREEBOARD
- GALLEY
- HAWSER
- HELM
- HULL
- JIB
- KEEL
- KETCH
- LAUNCH
- LEEWARD
- MARINA
- MAST
- PORT
- RIGGING
- RUDDER
- SAIL
- SLOOP
- SPAR
- SPINNAKER
- STARBOARD
- STERN
- TACK
- WATER
- WIND
- YACHT
- YAWL

C P J R I A H C H S U P R P P C U S P I
M O L L K G N I T T I N K D G L T C U W
J I T U D K X U P E E L S C K W A S H H
O S X L Z H N Y H T L A E H I J P Y Y C
L S V L E A B I K E P E H J A N Q R N K
E O H A T V N U R S E R Y L A C I T A T
A L S B T F B N K L A T B A Q M S L L M
N U T Y E U E Y T Y J C N Y O B G S C H
C X G T Y W N E B E M O I A X P K E Q I
I K J K A J X L D O E K N Y P D Z L L G
X U L K L R K W D I O T M C W P P T L H
A I E M I T T E N S N T H W C C Y T E C
M M R L J G V B A O G G E I E J Y O W H
E U H G U A L A I E T U C E N I S B O A
S L H T S E J B H E I G H T S G G M T I
O F T S P B I Y P O W D E R C E M H Q R
I P A E T U G E E M A E B R L H N Z T L
I I B V D B S Y O T U V A I G W A L K D
H U J X W R J M Z Y G W M U E L Y R L C
S G I R L S Q R E Z L S A H A U D Y R C

BABY FACE

- BABY
- BATH
- BOOTEES
- BOTTLE
- BOY
- CLINIC
- COT
- CRAWL
- CRY
- CUTE
- FEEDING
- GIRL
- HEALTHY
- HEIGHT
- HIGH CHAIR
- KNITTING
- LAUGH
- LAYETTE
- LULLABY
- MILK
- MITTENS
- NAPPY
- NURSERY
- OIL
- PLAY
- POWDER
- PRAM
- PUSHCHAIR
- RATTLE
- SLEEP
- SMILE
- TALK
- TEETHING
- TOWEL
- TOYS
- VEST
- WAKE
- WALK
- WEIGHT

T B P S D L R O W M W G Z M A M M O T H
J G R A N D O G H T A I L O G V G X U I
L L O V T I T A N A P C R O W D S R E K
I Z E J C E X W G R E P P O H W M P A M
H S E V J V S S K A U T N A G R A G R O
O O L Y I O C E G U H R V I Z H X V M S
R P I H M A K O O M A S T O D O N Z Y T
D P P R Y G T N L A H R H K V F G B A R
E I W T U A N H U O L S M T C L H T P B
H H Q N T O N O A H S A O W A D V A P O
S B C A J J B M R N C S S F O T I H L U
G Q B H H E I O B H L Z U K I S Y F E L
G L Z P N Y V N T N T R O S A Q X M L D
G A S E P Q C S U N I V E R S E A S A E
C R V L Q W A T N A I G K L U B L E H R
C G X E M V H T O M E H E B E E A A W U
T E F F S O K C O N C O R D E Z G O J V
B X R U A S O N I D M Q O Z A H T R E B
W G O N J R I Z N L W P Y R A M I D Z Q
B T J G Z C V K N A E C O C J O B M U J

TALKING BIG

- ALASKA
- APPLE
- ARMY
- ASIA
- BEHEMOTH
- BEN
- BERTHA
- BOULDER
- BULK
- CHUNK
- COLOSSUS
- CONCORDE
- CROWD
- DINOSAUR
- ELEPHANT
- GALAXY
- GARGANTUA
- GIANT
- GOLIATH
- GRAND
- HIPPO
- HORDE
- HUGE
- JUMBO
- LARGE
- LEVIATHAN
- MAMMOTH
- MASTODON
- MOST
- OCEAN
- PILE
- PYRAMID
- SEA
- THRONG
- TITAN
- UNIVERSE
- VAST
- WHALE
- WHOPPER
- WORLD

Z Z Y I E T S A T S X T K Y I Q K V C U
S A P A R C S I C E C E I P J Z J C N I
Z Z T E T H R E A D V S J Q E K A L F E
R I O O Z A P I N S L T L K S S C B U L
X G E P I T N E M G E S P T M L R P F P
Z I M B C Z J B Z N X K I R X I N A R M
S R J F C R U M B C N T E J G C N R A A
L P D R X F S S D U C W L N H E T T G S
I S S J Z T V A H H V V K O K X U I M X
P U M M W V I C W A K F C I G Y I C E Y
W O E R O H H C T E K S I T R N W L N L
X V A F E T I W Z S O G R R X J E E T R
V Z R L A R Z T K W L X T O G I F E F U
W T M A K Q X H H A P A N P M B A I B P
P Y Y S U Q T T S T O P B O R E V I L S
Q L T H T A I A A C R M I J I D R A H S
O F O R J B I V D H D O L H Z T D S S L
U T U V A I K T G E K T A X C R C A M R
B L U M P C U R L J W A Z S A X I E N J
H K N I W G E T O U C H B M T A V O S V

BITS AND BOBS

- ATOM
- CHIP
- CHUNK
- CRUMB
- DASH
- DRAM
- DROP
- FLAKE
- FLASH
- FRAGMENT
- IOTA
- LUMP
- PARTICLE
- PIECE
- PORTION
- SAMPLE
- SCRAP
- SECTION
- SEGMENT
- SHARD
- SKETCH
- SLAB
- SLICE
- SLIP
- SLIVER
- SMEAR
- SNIP
- SPRIG
- STITCH
- SWATCH
- TASTE
- THREAD
- TOUCH
- TRACE
- TRICKLE
- WHIT
- WINK

Y E I Z O T E N T A H U Y N A T D F H G
H W V T F E T M F K E U M M O H H S I I
R M M R Q B R N L Z R T T F D I X N J E
K F Y U P K I R B P C O T B J V S U R D
L E V C D B F C M O F E T E L J B N G T
G R Y F A H H C G J X H Y E N Z W A A I
R U A C V A U O F O E Q T I K O D W Q M
H P G Z L J W T S Q O O N R V U S A T B
Z O N E S X Z T B P H L U B K A G I A I
L T T A R D E A H L U H G V R A M L A E
S I N Z V M S G B H A S T I Y S E U O M
M W Y E A A N E O C Z V T D A T B O U B
I K W W M M R U J W R B E Q S U F R M E
Z P G O F T S A T D S Q C O F T B B N D
E I B O L E R T C W X E H K I G A Z H S
W F P B B A L A G O K W T C E A L U D I
Q N E O R A G J P F T P C A P M H Y T T
I Y A A N O B N Z A L U Q H E S U O H J
R T J O S U J V U L X A A S D Y J W N M
M A T P A L A C E B K T T B J U P X W O

HOUSE PROUD

- APARTMENT
- BEDSIT
- BUNGALOW
- CARAVAN
- CHALET
- COTTAGE
- FLAT
- HOSTEL
- HOTEL
- HOUSE
- HOUSEBOAT
- HUT
- IGLOO
- LOG CABIN
- MAISONETTE
- MANSION
- MUD HUT
- PALACE
- SHACK
- TENT
- WIGWAM

W F Z J S H K U H T P K R I U Q M R B N
S T A M P M S H Y T I L A U Q T O Z M X
J O D O U Q M P K V M E L P M I D P V V
I G N I T N I A P C R F H T U O M D K Y
E S X Q R U L K D U B D R A Q M A R K B
L P R A C S E K T F E A T H E R E S A Y
O Z T E C A F X J T N J E Z Z Z R D U H
M S C A L D E T A I L N Z D K E G P Y U
T Z T A S T E X K A F A O Z T E T L S S
S J R B X B G W A R G R H I I O R T W Q
W E C H I N G G E T V A R Z B V C A S T
Y P O K V N K C H G C W Q A Y D N Z A J
K R Z T P B K H Y T A U J K X B R M T S
B O Q N A L B N J O S L Q U N G O S C H
E M S Q E U O T R S A E Q Q G R X O N A
N I E S A S A X E J K S U K A B M M I I
O N Y S E N A R P N T J O B E Z V S T R
T E E G G N P A I A F J F F V Z M T S O
M N Q X X M R L I Z Y U R Y T H L I I J
Q T I E I T I P S R L A I C E P S P D X

CHARACTER WITNESS

- AROMA
- BADGE
- CAST
- CHIN
- DETAIL
- DIMPLE
- DISTINCT
- EYES
- FACE
- FEATHER
- FRECKLES
- HAIR
- IMPRESS
- JABOT
- MARK
- MOLE
- MOUTH
- NOSE
- PAINTING
- PART
- PROMINENT
- QUALITY
- QUIRK
- SCAR
- SMILE
- SOFT
- SPECIAL
- STAMP
- STAR
- TANG
- TASTE
- TEXTURE
- TOES
- TONE
- TRAIT
- WRITER

T H D J Z T Q T U E I E O Z B C H O X S
L K C I R T N J D M Z T Q Q D U F S P W
E M T X G H O O Q I P R A P P O E I T J
P A R U I O L I R S K Q H S O I X J R R
U N C I O P U I F F L F E P B I C A E E
A A B N X H T S Y F F T S I N V O M X S
C T R E Y A S K T E U A Z S P Z R M P E
C H E S S J E T N E A B U R O X I L O N
U E B I E T T R U V O L E T K E A Z S T
S M U Y F A A A L O T S Y R E I T O E T
E A T K H Y N O L E G N Y B F T E Y I E
R H F Z Z C I K I T A U G H U A H W E R
Y E D S R P M H F A R H R W N U T Y S A
Q M C D S I I L Y H G S O I Q N F F R S
Z U B O G N L A N S U Q W T N T R I T E
R L Y R I X E M E K E X L H A V F L I H
Z D K P S L V B G R K M E E D D K I W V
E C A N E M C A A E W J X R N W O V T F
E H T A O L H S T M C S E S A E T K U C
N P K N T U F T E P L Q B Q U E A P O G

QUARRELSOME

- ACCUSE
- AFFRONT
- ANATHEMA
- ARGUE
- ELIMINATE
- ERASE
- EXCORIATE
- EXPLODE
- EXPOSE
- GROWL
- HATE
- INSULT
- LAMBAST
- LOATHE
- MENACE
- NEGATE
- NIP
- NULLIFY
- OUST
- OUTSHOUT
- OUTWIT
- PELT
- POKE FUN
- PROD
- REBUFF
- REBUT
- RECOIL
- RESENT
- SATIRIZE
- SHUN
- SPOOF
- TAUNT
- TEASE
- TRICK
- TWIT
- UPSET
- VILIFY
- WITHER

F Q G V P M K U V C C G Q Q G P K Q Q V
U Z H T O O B F P E M M T Z R R O P H X
G O S V A D Q V D G F S C W I I H U Z Z
D U Y J J K V D E A K M U Z U S F K N J
L B K O S G U K H C J R Y E T S Z E S D
R C R O O S T N S D P L W T V A G N Z D
K T U K O N L Q W R Y Y R I S I N N J O
O I U X Z L N A O I P Z G H B G H E T V
W M Q W A T Q V C B G D N L R C I L Y E
H A X T Z I K I J X S D E V S R L P R C
Y S S T S O G A I K Z P Z H R N L I P O
K C A G E P P R L H O E Y S S Y V L B T
Q D T C V R U Y P A J N I V S T S E N E
T E S U O H D R I B I V W A R R E N S S
D K I D S X N I N V X R L N V H Y W Y U
E C E L B A T S P P A Y H V N R E I J O
N X E B A R N C I O M F A K T J Y O G H
J B B R A Y P C O O Q A V L N M P W W N
M A Z U N F V X Y C E W H U T C H N L E
F O M W O K M R Z H C R E P C R U N F H

ANIMAL HOUSE

- AVIARY
- BARN
- BIRDCAGE
- BIRDHOUSE
- BOOTH
- CAGE
- COOP
- COWSHED
- DEN
- DOVECOTE
- HENHOUSE
- HIVE
- HUTCH
- KENNEL
- LAIR
- NEST
- PEN
- PERCH
- PIGSTY
- POUND
- ROOST
- SHED
- STABLE
- STALL
- WARREN

D N Q S W N L G B Z N C G S G H P P M U
C S Y H Q R K D I F A W J J H M L X X B
J O K J Q M J D O E Q W V M Y L A H S I
T O Z A E Q K I D Z Q E I A Z M I V X R
K F H U V U D I Z I U V D E S H D L L D
E P O C S O D I E L A K W R K L S A B W
J B M O J M A F K L L R F D H M I G U D
C Y L V K J Y H G U T H W P E R U T A N
Q X A F C F L S H P G M S U N Z R X R S
W E N L D F F K L Y I O K I T E W E Y N
G L D O E B R C E M X U D U X I B M O O
O L S W F M E O D C R S T A R G H C E Y
P R C E B T T C P I F U J K H H E K C A
B S A R D O T A H S T N I A P T R A S R
Z N P S E D U E P C V J W Y O M Q Q G C
G Y E M A I B P W E I Q B S S D L V R T
O R C L O U D S G N S D U W O E T N S G
E J M K H Y L Q V E T G O W O B N I A R
W T R E E S L Y A R W U R O Q I J W B E
T Q I M E B S I K Y F S S E F E J Z X P

HOW COLOURFUL

- ART
- BIRD
- BUTTERFLY
- CLOUDS
- CRAYONS
- DREAM
- FLOWERS
- FOOD
- IDEA
- KALEIDOSCOPE
- KITE
- LANDSCAPE
- NATURE
- PAINT
- PEACOCKS
- PLAIDS
- RAINBOW
- SCENERY
- STAR
- SUN
- TOYS
- TREES

U	G	B	R	O	K	E	N	N	O	I	S	U	T	N	O	C	Y	J	N
P	J	T	Z	K	F	T	D	D	I	S	C	O	M	F	O	R	T	O	X
O	T	A	W	D	K	N	I	K	F	R	A	C	T	U	R	E	I	B	N
U	R	G	E	E	I	D	N	G	E	T	N	E	M	R	O	T	X	C	W
N	A	K	F	Y	F	T	R	A	M	S	L	W	O	U	A	S	T	A	B
D	V	Q	O	E	H	C	A	D	A	E	H	F	V	T	I	I	T	T	I
I	A	F	E	X	K	S	L	G	D	O	X	M	I	S	L	T	W	B	D
N	I	S	S	T	X	J	C	E	N	V	U	R	T	A	S	Y	I	R	N
G	L	L	O	M	I	P	O	L	N	A	R	H	F	C	M	A	N	U	U
K	E	A	R	V	U	B	M	D	T	I	P	A	R	D	T	U	G	I	O
R	N	P	E	R	N	G	P	E	K	C	H	A	F	I	N	G	E	S	W
C	O	Z	H	L	O	V	R	E	B	O	R	H	T	K	B	F	W	E	T
E	B	I	N	S	I	J	E	N	R	P	O	T	I	T	G	A	L	L	B
T	O	D	O	C	T	Y	S	X	P	J	X	C	U	X	A	A	R	U	I
R	S	I	I	R	A	N	S	P	M	B	K	C	L	C	B	J	S	X	N
U	W	L	S	A	R	O	I	I	A	C	A	P	S	F	G	T	A	C	J
H	O	X	A	T	E	G	O	N	R	Q	R	C	C	R	I	S	R	R	U
V	P	A	R	C	C	A	N	C	C	I	S	N	H	N	A	S	F	I	R
V	K	O	B	H	A	X	N	H	C	Z	Y	X	G	E	W	V	I	C	Y
Y	N	O	A	F	L	O	C	K	D	F	F	U	X	X	Q	N	Y	K	I

THAT HURTS

- ABRASION
- ACHE
- AGONY
- BITE
- BRUISE
- CHAFING
- COMPRESSION
- CONTUSION
- CRAMP
- CRICK
- CUT
- DISCOMFORT
- FRACTURE
- GALL
- HEADACHE
- HURT
- INJURY
- IRRITATION
- KICK
- KINK
- LACERATION
- NEEDLE
- PANG
- PINCH
- POUNDING
- PRICK
- SCRATCH
- SLAP
- SMART
- SORE
- STAB
- STING
- THROB
- TORMENT
- TRAVAIL
- TWINGE
- WOUND

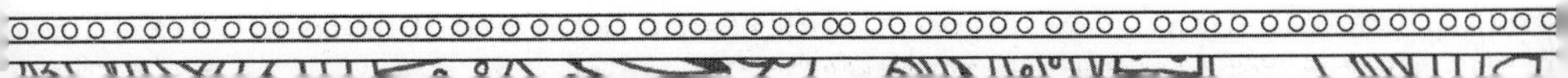

Q E J O N O X P V Z Q D O K L W S K M T
E Z M W P B R U L Z Z B C R C Q G A S E
T P A V E O M C I J K I C Z Q A Z O U Q
L K J L W Y U W A C U B W I P U U P L X
M Q P L N G L Q U Q P I H U A F A Q P O
I K I O T Q P X Q T Q Q M Q T R H R O R
T L E P U S U R V F S U U D C G O Z R D
R P B I Z R A I I G R E A O H P A G E Y
Y L E X O U Q P V C R E U I T N D Z H V
I T O D S O W U B E E F P Q N E P C N P
I P A I R P T E A D R Y H A K T N E N A
H N E P I U Q J M L P K H X P E I V A I
P V E E H P Y P Q H M E D U U A Z V F L
N E C E Z S E S M L A P D Q P A N E L I
Q Y A K Z S A A P P E R K A L H P F P Q
R U P A K Y P U K L E E P I L U U E E A
T U A V A R R X Q Q B X M G K Q N F T C
Z D C R R R A P Q U I T K X E A S O O F
Z E O U T J S P N D N A C E P O U O A E
P Y Q W I G C K G G Q U I L L Q M X V X

Ps AND Qs

- PACE
- PAGE
- PAIL
- PAIR
- PALM
- PANEL
- PAPER
- PARK
- PAST
- PATCH
- PAVE
- PEAK
- PEAL
- PECAN
- PEDAL
- PEEK
- PEEL
- PELT
- PEONY
- PERK
- PLUM
- PLUS
- POLL
- POUR
- PRICE
- PUNS
- PURR
- QUACK
- QUAIL
- QUAINT
- QUALM
- QUARRY
- QUART
- QUASH
- QUENCH
- QUEST
- QUICK
- QUIET
- QUILL
- QUIP
- QUIT
- QUIVER
- QUIZ
- QUOTA
- QUOTE

S E B I R T G X I D E S C E D A N T S Z
W S L I N E A G E B Y F W Z X M P J M U
F W S W X Z E L C N U N Y P E R A H E T
W A L N I R E H T O M N I B C M X R U N
W Z J V C R E A T O R X V S L G I O F M
E C L A S S R A L I M I S X U I C T X G
S B N Y B R E E D S I D C L W O E I N I
C I A V Y H F U E B F E L K N L C N X O
J G L R G N J I E M B I R P E N O E T A
W W C I S V Q Y C P V L A V M H K G G R
F Z Q L Q X Y A A F K L B X S Z O O L E
N O I T A L E R R O C A T P N I P R Y L
A K O Z A K Z W R K N D W J I T I P A A
N E P H E W Q G A W E R C U K Q R F J T
H O Z P F P K U O L R R O T S E C N A I
E O H W A Y K T I E D B I U H J R Y L O
L P C Q Z R K F Y P L U J K I U O W C N
L V N E D R E F O R I G I N A L L L N U
D M G O C J F N B T H K A I E J S M E H
J G S E T X H K T D C B R O T H E R S T

ALL RELATIVE

- ALLIED
- ANCESTOR
- BREED
- BROTHERS
- CHILDREN
- CLAN
- CLASS
- CORRELATION
- COUSIN
- CREATOR
- KINSMEN
- LINEAGE
- MOTHER-IN-LAW
- NEPHEW
- ORIGINAL
- PARENT
- PROGENITOR
- RACE
- RELATION
- SIMILAR
- TRIBES
- UNCLE

P E C R E P Z E N P L O T Q C Z W A E E
W Z B J K A N S A E F Y J Z H I N T L Q
S R S I M X E I E N N E Y E H C M M O U
C B G M E K E D A P A C H E F H D J N E
O D L A E N N H R L R Q C T A Z E N I K
D Q X I N E W J J B R W R O W M S I M O
O X U M W X A A A E E E O K O I H N E O
M H W P A V H P E N H G W E I B O U S N
G J O O P X S K G S G Q T Y M O S Z I I
L M K D I R O Q U O I S S C I H H K C H
O N B D M R P O U E X K I H Q A O M O C
Y A L X E T D Z A M T N O O N P N X M S
G T A H P U E B L O A U U C E A I I A M
Z C C D V I O F L V W K X T Q R K P N A
J H K G D A D I A H E C D A O A U U C N
Q E F M S A J H P Q R O J W C E A H H D
V Z O K L M O E K H P N Z S D F S E E A
A W O T J I C W N O G N K H W X A F N N
R P T P W P X K H P J A M O H I C A N O
S E R A W A L E D I Y B O L B U P C Q I

TRIBAL

- APACHE
- ARAPAHO
- BANNOCK
- BLACKFOOT
- CHEROKEE
- CHEYENNE
- CHINOOK
- CHOCTAW
- COMANCHE
- CROW
- DELAWARE
- HAIDA
- IOWA
- IROQUOIS
- KANSA
- MANDAN
- MIAMI
- MODOC
- MOHICAN
- NATCHEZ
- NAVAHO
- NEZ PERCE
- PAWNEE
- PIMA
- POMO
- PUEBLO
- HOPI
- SAUK
- SEMINOLE
- SHAWNEE
- SHOSHONI
- SIOUX
- UTE
- ZUNI

F Z M A E S N I G N I N I L L N T B K Y
K O L H T Q M H E M M I N G M G N C C H
Z W E T J E U Q I L P P A I C M O C E P
B E V O Y R A P C M A V C Y P M I T R B
I A E L V T Z H P A T C H A S G S E R N
N V E C E S L Z E F T M N L S A P A O S
D E L R X P B I U K E S E J B P I L N J
I V S J Z K A Y U V R U A T I D E D E C
N S W T N K C T H Q N C C Z M N I O E R
G E W I X A C Q R H O O K S A A R M D O
F C L O L V V L O O P S E P U R E E L C
I A T P B A R O L L S O L S P U R C E H
N R M O B D A E R H T P B H V E S R P E
I T R E S U O L B H M F M O F N F O O T
S I V C F D H S A S J M I U R U F F I I
H M P R T R A Q I P M R H L X F U N N L
O R Z E R E Q G V V E Y T D D H P I T E
I U M W I S D A V Q S R Q E Y D F E Z U
O O L E K S L U X A H L X R Q S T R L Q
W T V L S E O H H O E C A L D T I N K X

SO SEW

- APPLIQUE
- BASTE
- BINDING
- BLOUSE
- BOWS
- BRAID
- CLOTH
- CREWEL
- CROCHET
- DRESS
- FINISH
- HEMMING
- HOOKS
- INSEAM
- KNIT
- LACE
- LINING
- LINK
- LOOPS
- MESH
- NEEDLEPOINT
- PANEL
- PATCH
- PATTERN
- PUFFS
- QUILT
- REINFORCE
- ROLLS
- SASH
- SHOULDER
- SKIRT
- SLEEVE
- SMOCK
- SNAP
- TAPE
- THIMBLE
- THREAD
- TRACES
- WEAVE
- ZIPPER

K R I M S F O U C H I N Y R S S U P G B
A M G E P Q P F S M I L E K V O W R R P
U M D P Z V O B M V G U C A U E H P I Y
M Q Y F Z B S X A D S H P N T L T U M Y
O T I E V E K G S Y E C Q S B K U F A S
W E T A U A I R K E A T O O S N O V C D
R A H T N U N U K Q P H E W R I M U E W
S R F U O T N S Q D O C Z E L R S Z I X
E S P R I Y A R A C S A M A T W Y P U T
L V O E S M N N O C E F J G X H R A I N
P Y S S S A J S N R U B E D I S H V G L
M X V T E R A M B S E Y E E R A T S L X
I L A F R K W F J P E S O N G I K A A G
D D Z O P N S Q N Q W W H I S K E R S O
X W T S X P X H O H S U L B P P J N S A
K W O I E G A Z E S I O O N W O R F E T
S R E U Z P V S P E C T A C L E S C S E
O I G L A R E J T C F A C E L I F T Z E
P Z Z W I P U Q D J F T E E F S W O R C
N X Q E J L Y R A M F R E C K L E S J E

LET'S FACE IT

- BEAUTY MARK
- BLUSH
- CHEEKS
- CHIN
- CROWS FEET
- DIMPLES
- EXPRESSION
- EYES
- FACE LIFT
- FEATURES
- FRECKLES
- FROWN
- GAZES
- GLARE
- GLASSES
- GOATEE
- GRIMACE
- JAWS
- LIPS
- MASCARA
- MASK
- MOUTH
- NOSE
- POSE
- PUSS
- SCOWL
- SIDEBURNS
- SIZE
- SKIN
- SMILE
- SMIRK
- SOFT
- SPECTACLES
- STARE
- TEARS
- TEETH
- WHISKERS
- WRINKLE

G B S Z K P P V P W N E M Y R R E M T Q
S V C E C B Q W M P U B J N N V M E V V
J H U V E P W V Z L L H V M A I A O R D
R U E E I L Q K R X T L A D T H Y Y G D
S D O R E H K C C Y Z I M A W V D B S L
C T Q B I E C R M U D X F L K M A W A E
I W O O D F D Q I M T T L L G L Y J R G
P A S R E B F I A K R R Q A L U U N C E
E L D U Y O G R S J P I A B C G K L H N
G T O I H W I L T G T I H I W Y I A E D
I U O F L A W R X Q U C O U R T J W R Y
O O H B N E J O S O Y I P X T F O I Y E
A U N I G D Q S R T W J S L A D G L Z L
E C I R O T S I H R I O E E F Q G L C S
G P B R H T A W S Q A O T L R A E S G K
N H O J D P U A Y B D O L T A X U T E C
E T R N I T Y Z E U G O R P Z B G U P O
D N A L G N E T N J T J B K X D H T A L
Y B I Y F O R E S T Z M M T M E K L N Q
O H Z S H E R W O O D I F Z I H F Y X A

BEAUS & ARROWS

- ARCHER
- ARROW
- BALLAD
- BAND
- BOW
- COURT
- DISGUISE
- EARL
- ENGLAND
- EPIC
- EXPLOITS
- FOREST
- FRIAR TUCK
- HERO
- HISTORIC
- KIRKLEES
- LEGEND
- LOCKSLEY
- MAID MARIAN
- MAYDAY
- MERRY MEN
- MYTH
- OUTLAW
- ROBIN HOOD
- ROGUE
- SHERIFF
- SHERWOOD
- STORY
- WILL STUTLY

W B A N K Z Z C T R I B U T A R Y M K E
G A K U H F I S H E R M A N K Z B L E P
P I L R N F Y Y L O C K N A D I D M E I
E S Z L I H B D C Z F D D Y F E L F R L
K L C E L P V D S U E K S N L G L E C T
U E S A E T P E J D R F R T E Z A H T N
Z T L B T V L L T F I R A O L B F B H E
K H K J M A E P E V W P E B F Q R A U M
X R F O P Z R L X S V Y A N F O E Y R T
Q A K K W V L A B E D S D R T G T T O E
Q B F E L B F W C B E G R A B C A N Z V
Z D R H D N S O E T G L K F R S W I Z E
D N E I Y P L G N I K S M I K E Q S P R
X A I E K F R D I C R Q E C N S H A N R
P S P B E O U F O W N Q O B E P E B M F
S F R A G K P D H P I R L V C A N A L H
W H A R F L T L Q S M A D H D Y F V T B
U N W A J P O W E R P L A N T L J U Q O
R A F T L O F P O O L P A K O H O G C A
I Q J Y L E N N A H C Z U W T M L O F T

WATER WAYS

- BANK
- BARGE
- BASIN
- BEDS
- BEND
- BOAT
- CANAL
- CATARACT
- CHANNEL
- CREEK
- CURRENT
- DAMS
- DELTA
- DYKE
- DOCK
- EDDY
- FISHERMAN
- FLOW
- FORK
- GORGE
- ISLET
- LEVEE
- LOCK
- MOUTH
- PIER
- POOL
- POWER PLANT
- PURLS
- RAFT
- RAPIDS
- REVETMENT
- RIPPLES
- ROCKS
- SANDBAR
- TRIBUTARY
- WALL
- WATERFALL
- WEIR
- WHARF

```
Y O U C W E M S L Z M W G B E M M C I Y
B D W A S C S A A O D X B D Q A E C L E
C R C N R M Z G N V H Z K V R V Q E L X
A C V A E Z Y E E C A V W C E N D S E X
B W E L K O T D B S L T D W W I O S C V
Z H R E A N H Y J G S I F C V Z R I I L
C I M T L R C M A N E T C A B O A T T E
G S E T B I H G B G D W D D D H S A T L
A T E O K O T A A J Y B C R S F S M O Y
U L R Y O N R A Y I C H A W L O I E B Q
G E R E T E A C U G N N U V N X P S Q F
U R N D R R G E O B O S L E A H P A R S
I Q U A Y P O Z I E Y N B L G K W V T P
N N M T S H H A L G A B C O N Z S V U H
D E Y U S H A N N J U L Y D R N K M R O
O Q Y R W O L N W L M L Z Y E O F G N L
E F H H S H C E Y T T E W B L A U R E B
O L E G N A L E H C I M U E A F N G R E
U Q M Y O S S A C I P R B Z M S W Y H I
E H X C M D B E L L I N I H S L O L S N
```

ARTISTIC

- BELLINI
- BLAKE
- BOTTICELLI
- CANALETTO
- CEZANNE
- DAVID
- DEGAS
- ETTY
- GAINSBOROUGH
- GAUGUIN
- HALS
- HOGARTH
- HOLBEIN
- LELY
- LEONARDO
- LOWRY
- MANET
- MARC
- MATISSE
- MICHELANGELO
- MONET
- NASH
- PICASSO
- PISSARO
- RAPHAEL
- RENOIR
- RUBENS
- TURNER
- VERMEER
- WHISTLER

C H E S T O J U M S P P S Q S H V G U R
R M G P Y S O O T R A Y O X O B V W T D
E B O R D E R O H S A H D H M W M N G S
T S I B Z Y R U E M G L U B S A E M H A
T N M H C E M D Z N E R L A Z V P U C W
E W S R K S B C U X I E D O L E T C G X
L B S O A C O O E B J L T T C T O D I G
O K O D P H T U K Q C S S I E U P S A K
P B S Z M O T R E Y E S O R N S K T R D
P X A Q Q O L T E A K I S T J G E Y S N
N D D Q V L E S E C A P S S I G H T W M
S E A S O N F S W O D N I W N T G C A V
F G I H U Y S E L L B H P J R D I R C Y
Z H Y T E E K S O P I A I O O R K I V E
D W L U S S Y A C M C H P O C E V C S V
V R C O A U O M K K B R R U T W I A W L
V G A M C O P E A H I M I N D I O N X A
Q K V W Q H S G U A A T H C J Q X H F V
C W S J E S E L T O L L A B E U Z F S C
W A J L H R S I Y C E B L I N D S O U Y

OPEN AND SHUT

- ACCOUNT
- AIRPORT
- ARMS
- BALLOT
- BLINDS
- BOOK
- BOTTLE
- BOX
- BUD
- CAN
- CASE
- CHEST
- CIRCUIT
- COLLAR
- COURT
- DOOR
- DRAWER
- EYES
- GATE
- HOUSE
- LETTER
- LINE
- LOCK
- MARKET
- MEETING
- MIND
- MOUTH
- ORDER
- PACKAGE
- SCHOOL
- SEASON
- SESAME
- SHOP
- SHOW
- SHUTTERS
- SIGHT
- SPACES
- STORE
- VALVE
- VENT
- WINDOW

B	N	R	D	W	N	T	P	O	I	P	S	V	I	K	K	I	F	O	R
L	B	A	Q	H	A	F	I	H	V	H	R	D	J	T	G	M	L	M	B
K	A	K	M	C	U	X	F	I	P	Y	T	K	J	O	K	A	A	Y	Y
G	L	S	T	D	R	N	L	A	V	L	P	A	P	L	E	D	G	E	L
L	O	H	U	U	U	L	T	S	T	M	X	C	H	F	D	P	R	Q	Q
B	O	A	O	R	A	C	S	I	Y	H	S	R	I	B	F	H	A	M	E
B	E	N	G	G	E	H	M	T	N	S	E	E	O	N	E	E	T	R	Y
N	O	N	E	O	Q	H	Z	S	K	G	T	R	F	O	J	W	I	F	C
H	I	R	B	Z	L	R	T	X	R	M	C	H	W	S	W	F	A	F	O
I	S	U	J	A	A	R	M	O	A	E	F	A	C	O	P	P	L	A	U
L	M	C	Q	M	G	A	A	O	R	C	H	N	L	M	L	O	H	L	N
G	J	N	A	A	N	H	A	D	A	B	C	T	A	L	W	F	J	E	C
W	Y	O	A	C	B	Q	E	P	N	O	D	C	O	R	B	I	U	K	I
O	T	P	U	H	R	A	Q	E	V	A	R	O	E	R	O	C	N	A	L
M	J	B	K	D	K	T	T	Q	R	F	B	H	O	I	B	C	G	I	R
L	Q	Q	U	Q	Q	E	X	L	O	A	T	F	N	L	D	U	L	P	O
M	O	F	E	E	A	V	R	T	I	O	P	A	C	K	B	M	E	C	C
Y	T	I	C	T	S	O	L	E	M	H	E	E	G	X	A	U	L	M	K
G	W	V	R	N	L	M	E	C	H	J	C	S	H	N	X	W	A	C	M
J	Q	R	N	V	R	I	O	U	M	S	S	B	G	K	M	N	W	R	J

JUNGLE BOOK

- AKELA
- BAGHEERA
- BALOO
- BANDAR-LOG
- BLOODBROTHER
- BROTHERS
- CAMP-FIRE
- CHIL
- COUNCIL ROCK
- FATHER WOLF
- HATHI
- HONOUR
- HUNTING CALL
- IKKI
- JUNGLE LAW
- KAA
- LOST CITY
- MAN-CUB
- MANG
- MAO
- MOTHER WOLF
- MOWGLI
- PACK
- PLEDGE
- RAKSHA
- RAMA
- SEEONEE
- SHERE KHAN
- TABAQUI
- VILLAGERS

D Z N S U D A N F L A U Q A J A Q X W U
J A W I Y W Y I G I I R S S D Y D E G J
O M T O G F H S K B B B I L L I C A I E
W B S B U E A O A E I C V A R V M N U T
R I Z D G D R T B R M S L A E B K W B T
H A N B N J W O G I A L F O I N I A D I
M D Y A Z Y T M U A N S A A D T I V K M
O N W V M S Y R O R Z B T G J Y A U O M
R R I P W P R S A N A H G N E R Q A G L
O I E A F E O R R J E P B A D N A G U T
C H N B V A K T A A L G E R I A E Y F I
C A D A H C O V Z G J T R W J N C S F N
O H K B Z B A Y B U H L A E R I N X Y O
S I L A M Y Y M Z I X I S H L N M N H S
X Y P H B U U J O E L A W I G E A I M Y
W K X K D V J P P A U L H H C B L S V K
L K E N Y A I S M J A O Z K V U A T A R
C G A P F A W O Z C H G C X Q S W S X A
V Q V F B O S O C O Z N X J S X I B U E
B J J X G A B O N J L A T P Y G E F M J

IN AFRICA

- ALGERIA
- ANGOLA
- BENIN
- BOTSWANA
- CHAD
- EGYPT
- ETHIOPIA
- GABON
- GAMBIA
- GHANA
- GUINEA
- KENYA
- LIBERIA
- MALAWI
- MALI
- MOROCCO
- NAMIBIA
- NIGER
- RWANDA
- SENEGAL
- SOMALIA
- SUDAN
- UGANDA
- ZAMBIA

D P S Q X R S I G V Y A L L A I Q K F C
I S Z M W A E N M E Y W T M S X N R A O
S E I G L E R P L P B X I Z U Q O U Y N
T R I G F H F T M D E X E Q N R I N G S
R U E D S S N B X A E D Y L O V Z P E T
I G B U I E Y C G G D E E B W V W V B R
C B H Z G Z D E X O B G T P T L T L N A
T R Q M L C M M R D R A Y A R Q S S Z I
E R V R I F B Y D U L L X C B T T X V N
D H V E M W U R B M T N M G Z A A X P M
G A A H I B Y D I R S C N R K R I G X G
E L E T T Z E L L N A X N U A R R E S T
W T V E S G O W M O K T F I M Q U G E H
M D H T A C O I K E F O T T C B R A I L
K V R C K L R C C N I N I N E R E U B X
Y B Y W S B X N T L P R E M L A C R K J
X O R E A S E K A B R E A D T H R Y V L
S G G J I F T E S W Y H I N D E R S J R
A H P B F L R Z Z T L E B B Q J B I N D
B A N D K A O X B T I A R T S Z C A S E

HEMMED IN

- ABATE
- ALLAY
- AREA
- ARREST
- BAND
- BELT
- BIND
- BOXED
- BREADTH
- BRIM
- BRINK
- CAGE
- CALM
- CASE
- CINCTURE
- CONSTRAIN
- DAMPER
- DISTRICT
- DULL
- EASE
- EDGE
- ENFOLD
- FENCE
- FOIL
- GENTLE
- GIRT
- HALT
- HINDERS
- HUSH
- IMPEDE
- LIMIT
- LOCK
- NUMBER
- ONUS
- RAIL
- RING
- SLOW
- STRAIT
- TETHER
- YARD

I N C T B X Q T X G R T Y C L B X N N B
C K Z Y E B H S V C I S U M A U T V M A
J E Z T A D Z Y H M H T Y H R Q B B Y K
O Y S T T V M M Y M F X O S E U L B H L
R Y M I E Z O P D B V Z C A I R A P C O
S X Z D R B Z H O P M E T Z H C S A O P
S E T O N A A O G N O S G A A T V R M T
R L Y R I C S N H Y O W R R Q E N T P I
C U N X Y S O Y T X Q M O J Q L O I O I
H L P I C T G S I Y O L S I G T P S S R
B B A H I I T J H N S S H I F I X T E E
W O O S R H J L Y O A A Q X E T O O R M
S R N E S D W L T R W E E S B N Z Q P R
D O B M Y I J K G Y F R W M O T I F P O
C P U E O E C E D R U X K A R O C K B F
P O L L V U U Z A T J I L D L N E A P R
G P J O R L I H L N X H O Y M T N I X E
W T D D B A O I L U G C F N A D Z Z C P
M U W Y L E P F A O H E A V Y M E T A L
P Z Z A J R K E B C Y A R E P O T M G Q

TUNE FULL

- ARIA
- ARTIST
- BALLAD
- BAND
- BEAT
- BLUEGRASS
- BLUES
- CAROL
- CHORD
- CLASSIC
- COMPOSER
- COUNTRY
- DITTY
- EASY
- FOLK
- HARMONY
- HEAVY METAL
- HITS
- HYMN
- JAZZ
- KEY
- LYRICS
- MELODY
- MOTIF
- MUSIC
- NOTES
- OPERA
- PERFORMER
- POLKA
- POP
- RAP
- RHYTHM
- ROCK
- SHOW
- SONG
- SOUL
- SYMPHONY
- TEMPO
- TITLE
- WALTZ

S Y R T X M O V O T E S L A G E L T A M
S A V O E O C F N V L E F O M P Q H P D
E W K W F J O E V I R R A A S L C G P D
E A W X L R N Z S B S D S P O E H U R E
K R I B U D C W G R N T K B C B O O A T
S D H M R F L L B I E C Q K V I T H I A
R E O R Q A U R F R I B K Y R S Q T S R
D U T R H R D D I S C O V E R C U D E T
O X L T M N E Z P C H G A I S I I L I I
O T G E L C I X S I O S B J Z T A A Q B
M H R L K E N O I T O N P X Y E N P V R
M K S A B R W C T N K P C V Y M V A B A
A O D Z T E E D O L O V V S E N L V W D
C P N D E V S O E M N D L D S U M T Y O
Q I D I V I O V S C E E N E E E W Y F U
U N N S E E H O D Q I O G V E E S A T U
Y I E C I W C I F J C D T D B R W S R P
X O Z E L R L C O F P A E R U I C Z A D
F N Y R E R E E E L Y H B T M J V E O L
B Y F N B D A D J U D I C A T E U U D A

JUDGEMENT

- ADJUDICATE
- APPRAISE
- ARBITRATE
- ARRIVE
- ASK
- ASSESS
- AWARD
- BELIEVE
- CHOSE
- COME
- CONCLUDE
- CONDEMN
- DECIDE
- DECREE
- DISCERN
- DISCOVER
- DOOM
- DRAW
- END
- ESTIMATE
- FIND
- FORUM
- JUDGE
- LEGAL
- MASTER
- NOTION
- OPINION
- PLEBISCITE
- PRONOUNCE
- REASON
- REVIEW
- RULE
- SEEK
- SENTENCE
- SETTLE
- THOUGHT
- TRY
- VALUE
- VOICE
- VOTE

Y E J E T A K E C A R E V W D G Q U P O

E R I F N O B N N D A M P A U X T O R H

D F P P M K V L O F P A J S A F E T Y C

S P S M F H A S N O I T A R A P E R P T

K T E K C O R Y K S B C J L W G E K Y M

T N D G C E D P M Y A H B D Q L G H J B

N S R U O L O C Y W H E G S X A S A Q Y

E J C N U O P F U N H S R F N A N T G O

P T R P W D W G J U Q E H T L P K N D E

R Y Y O W N E H X U L D I F Y D A E E X

E R J W A A F A I K Y C R R D B P Z Y C

S E O D D R T B R A I E O A Z R R G E I

S P K E Z I S A L P D T N Z O E I E S T

E A J R A G P P A N E G I T G F O Q J E

O P J P J S S T U C E H Y N F U H W Q M

T H A L M I I H H R W E A E D N Q G E E

A C C O D O T N S A H B S X B G M R E N

T U K T N A I P M A D Q O I Z J A S S T

O O E S T C G J C S M O K E O L Q H W Y

P T T D S N G I G Z I F K H F N B B O T

REMEMBER, REMEMBER...

- ANTICIPATION
- BANGER
- BONFIRE
- COLOURS
- DAMP
- DANGER
- DISPLAY
- EFFIGY
- EXCITEMENT
- FIZGIG
- FLARE
- FUN
- GIRANDOLE
- GUNPOWDER PLOT
- MATCHES
- NOISE
- PREPARATIONS
- PYROTECHNICS
- SAFETY
- SERPENT
- SKYROCKET
- SMOKE
- SPARKLERS
- SQUIB
- TAKE CARE
- THUNDERFLASH
- TORPEDO
- TOUCH-PAPER
- WHIZZ-BANG

D T M K T M L I S A B N H Z B D Z A R E
I K S Q D A A B L I V R E H C I C X Q P
Y V Q Z H E R Z K X L U K Z C I J B F J
S K S D C F I R H D K P A B L F Z W P V
Z E A Y O Y E K A J I J L E S K D R A B
M D B T G E C N N G H M G D I I N I R H
U K E G O E E D N D O N P M T L Y Y S E
S J H P T H Y M E E A N F T M R Z S L V
T B G O C O E K L C L T A S M X Z L E O
A B M C R D E U F S R N R R P Y E V Y N
R A A A F E B N R W Y A F S A R C M V A
D N R R W G H T C P Y G N W R X H Q B G
M I J W U D O O D I L L A O M T J M Z E
L S O Z W M R F U O O R S S J G S O Q R
Z E R E O I F S M N A N I O Z F J A D O
T V A X A M I N T C D D I W P I S B G O
G Q M N G Q W V G V Z V B S I O A X O E
G G D R Z C O D K L S S D T A N S Y T G
K E J N B G I H C H D D A L S A I G H P
R Y H R N K B Y C U Y R A M E S O R C W

HERBY

- ANGELICA
- ANISE
- BASIL
- CARAWAY
- CHERVIL
- CORIANDER
- DILL
- DITTANY
- FENNEL
- HORE-HOUND
- MARJORAM
- MINT
- MUSTARD
- OREGANO
- PARSLEY
- ROSEMARY
- RUE
- SAGE
- SORREL
- TANSY
- TARRAGON
- THYME

D E X O P I P A U F H O U Y J T W O T P
T C N T E G Q X Y Z S B D P Q S Y F T T
C L A L H F Z R Y V F R S L S Z U Z S Z
O C G J E W E I P F L F E C V E D B X X
M H W M Y A F S X W R T H L C O J F B E
R A E O U D D K D A O O R M A Q W U X V
A I Q C R Z R E A W L E D C E T Y N B W
D R W P X K N Q R A B Z I N W V I B E B
E M A A V F M L R M Z T F Z E L V O U R
N A J R R K L A E Q I C M M G I K O N C
A N H T M P Y M N Z E C I T N E R P P A
M M M N K I N G E U N N U J S F I F Y N
S F U E U A E N L K P N B D N H C O T A
K N C R V U P L S B E T I Y O N P L H M
R Y E N H D S B X E O C S R G J D W K A
A P E N M A N Q U W T Y S Z K L C G G E
M R R Z S P M Q N A H E B T G D G G O S
J R O S N E C Z T Q M G S W R P V S A M
Q Z W B B C H O T A U G M A K S U L M A
R T O B S E R H N L B X H H T Y T J Y Q

SHIP SHAPE

- APPRENTICE
- CENSOR
- CHAIRMAN
- CITIZEN
- COMRADE
- DICTATOR
- FRIEND
- HARD
- HORSEMAN
- KING
- LEADER
- MARKSMAN
- MEMBER
- OWNER
- PARTNER
- PENMAN
- QUEEN
- RELATION
- SCHOLAR
- SEAMAN
- TOWN
- WORKMAN

C T X B V M R U O V A L F B D I S H I M
D H E N S O X T A I L E L B A T E G E V
O E S B M S K A S T A R T E R E A K H G
F L P O O N D V T E K C A P M B E D T S
I L I W T O C L Y R E L E C Y E P F W A
B I C L A T E N O R T S E N I M S Y J E
R T Y B T U R R U F E E C H I C K E N F
E N J P O O N S P A R L M S P R G K S P
S E J X P R X T F Y T E I R A V Y P D U
K L N H U C F N Y M Z E R E E J A T W O
P N T I O Y B E M G G S L S H E R B S S
I A I Q T T S I T U M C P R T I E A F C
N P G R D S U D S O S J L O N I O K K Z
S O O Q D A G E S X M H R S O M R U C B
T G F I I T A R M P Y A R Y E N H L I R
A H D I T M R G G O Q Y T O X S E B H O
N L M M A L A N A N O I N O O E L A T T
T C T X E T P I G S A M B I K M Y U R H
G W Y N H A S G A G U R F S S Q F E P C
G H O T F E A A D X G P R O T E I N V X

IN THE SOUP

- ASPARAGUS
- BEEF
- BOWL
- BROTH
- CELERY
- CHICKEN
- CLEAR
- CROUTONS
- DISH
- DRINK
- FIBRE
- FLAVOUR
- HEAT
- HERBS
- HOT
- INGREDIENTS
- INSTANT
- LEEK
- LENTIL
- MINESTRONE
- MUSHROOM
- ONION
- OXTAIL
- PACKET
- PAN
- PEA
- POTATO
- PROTEIN
- PULSES
- SOUP
- SPICY
- SPOON
- STARTER
- STIR
- TASTY
- THICK
- TIN
- TOMATO
- VARIETY
- VEGETABLE

T A Y C E C Y O O M Y M W Y E M O T G U
R X H D L K F F N V E U V R L O X S J B
I R A J A O A C I O Q S A T U D N N Z A
A A B T H W S M Q O Z A C E W U R N R E
N L Y I D N S E G V W E U M H V G A N H
G O Y O P W P E D J K R T O D C I I W K
L P E B S L B S L H B A E E E O L B O G
E Z W J M T A D F E J L B G G P T Z E P
O N A R H W L N W Y C D X R R K Z G M N
N L K E W Y O C E H Z S D X E S C B I R
O J O J L E U G J Y E B O J E E E R H T
D R H V Q S U H B W R F P S S U N O R X
Y K H A L U P S A O Y B I M I T I I W R
C M X A P T F W G R A D D H S J G X M W
L E J H T B J T I K E C U H E H T G A M
D S N Y A O S N G S O U G S T C H Y B Z
K X L T U F E E Y N G S S U K Z G U W C
M V C F R J J U D Q M C F O O E I Z L Q
T Q U Y P E H E H C O R H X L J E K G M
P P V K S L X Y A L D A Z X T T H O O R

RIGHT ANGLES

- ACUTE
- ARCS
- AREA
- CENTRE
- CLOSED
- DEGREES
- DRAW
- GEOMETRY
- HEIGHT
- ISOSCELES
- LINE
- MAKE
- OBTUSE
- PLANE
- POLAR
- RIGHT
- SIDES
- SUM
- THEORY
- THREE
- TRIANGLE
- WORK

S T R A T E G Y C Y B U X N K C I R T N
O S Y A E D I O T O D L D E S I G N W B
C G K G P C V O F O N E U K X X C M V Y
D I B S P T O D S R L T N E M E T H O D
S M Y Q A G L U K E A P E I P T R A H C
Y M J S M C G U N E Q M A M L R U M M O
E I K M G X H F I T A J E X P T I T I M
Q C E M L E P G H T E W K R G L U N D A
U K M V X M Z R T Y D R Y A T P A O T D
M D X P I F A I O A Y E P T R E X T G N
J X R Q R R O R N P G R U L N R D X E E
E D L A H O T R G A O O D G O E A X K G
N I A P F C P N M O G S Q R I T T N J A
C A Y B O T T O O U R R A P T R H N G D
D G O R E G H E S C L P O L R E T M I E
E R U E M A W A K I Z A Y W Y O K N C A
V A T W E T F L T S T R T V S I J C I L
I M Y P H M M T K C X I H E Z N Y E A I
C Q M P C W Z Q T Z H P O P X R J D C R
E D A Y S W J X M V K F F N H M F U K T

MAKING PLANS

- AGENDA
- AIM
- ARRANGE
- BLUEPRINT
- BREW
- CHART
- CONTEM-PLATE
- CONTRIVE
- COUNTER-PLOT
- DEAL
- DESIGN
- DEVICE
- DIAGRAM
- DRAFT
- FORMULATE
- FRAME
- GIMMICK
- HATCH
- IDEA
- INTENT
- INTRIGUE
- LAYOUT
- MAP
- METHOD
- ORGANIZE
- OUTLINE
- PLOT
- PROGRAM
- PROJECT
- PROPOSAL
- PROPOSITION
- RACKET
- SCHEME
- SKETCH
- STRATEGY
- THINK
- TRICK

E D I S B M G Z U F V M C X E L D W Z K
Y K R V E K A T D U V K F P V U X G R H
H E A I G N I D L O H U K H A Y O D P C
B R I Z M T I G H T T V W M E G T U N T
W B S Y G W I N D R W F I X H M N I P E
D U E S R U B A Y K U I I R N W J E P T
Y T U K A Q U R O O T X L L O R W Q J H
R L O G D T R J S T A E B D X S U P S R
U C V H E P U O T P Q V D N C A Q T W U
S Z U M S K L H A H W N Y Q O O J W H S
T U X R P B L P N R A Z G E U T M V U T
P J E V E O F G D E N E B S S S A I O M
H A W I E R G M I K X P J O R F U I N E
R C U T K N C A N O X W M W S I E R L G
F N R L B E W M G R C L Y K H T A H G Q
U W A R D E G E J T P I M J A B O T J E
Z S E T T I N G L S F S W D L F O W S H
K J J S W I N G V I T D S T A G E P K X
U H O L S T E R Q B B R I N G I N G E F
C O U N T R Y K Q O L F Y L Q E D N P J

MOVE UP

- AND DOWN
- BEAT
- BORNE
- BRINGING
- COMING
- COUNTRY
- DATE
- END
- GRADE
- HEAVE
- HOLDING
- HOLSTER
- KEEP
- LIFT
- MOST
- PITY
- RAISE
- REAR
- ROAR
- ROOT
- SETTING
- SHOT
- SIDE
- STAGE
- STAIRS
- STANDING
- STROKE
- SURGE
- SWEPT
- SWING
- TAKE
- THRUST
- TIGHT
- TURN
- WARD
- WIND

O F R O S T R E T A E W S R J U T C L Y
S M J V T A A V T T E E L S L B S X V T
U V Q A B N R B S Y U L E L O G G J E P
A Y S J S U V H Q T K N I R D G F L S N
L M A F M W Z Y G Y O R V T K Q B J E A
C L R C W D Y S D I M O I C W U Y E V M
A S R A U L Z N L G E S B I A X E G O W
T E Y R L J D X I B P L N B D U K Z L O
N N U O E P L D M B O D S F F A R N G N
A O H L H F R F E C E L C I C I U E T S
S T N S K R E E L C L S C A R F T R K V
S S V H D W E O S S O W H R W B W H O X
E L V D L O C I T E N R C R A C K E R T
L I C W H T F K N E N O A E B N N G G B
A A R R A M C I J D L T W T R B I V Y H
S H E O J O L B G G E T S B I I S S C U
O K C J A M F D P H C E S L A O F Z E Y
N K E L O C W A L X T I R I Q L N G H U
G N I D D U P M U L P R N N M K L Q O I
Z A R L G V E E R T S A M T S I R H C L

WINTER WONDERLAND

- BAUBLE
- BOOTS
- CAROLS
- CHRISTMAS TREE
- COAL
- COAT
- COLD
- CRACKER
- DECORATION
- DRINK
- FROST
- GLOVES
- HAILSTONES
- HOLLY
- ICICLE
- IVY
- LOG FIRE
- MISTLETOE
- PLUM PUDDING
- PRESENTS
- REINDEER
- SALES
- SANTA CLAUS
- SCARF
- SLEET
- SLEIGH
- SNOWBALL
- SNOWMAN
- SWEATER
- TURKEY
- WIND
- YULE LOG

X	T	G	G	C	E	S	O	Y	J	C	C	K	N	A	J	D	L	E	K
T	N	S	K	F	L	T	T	S	V	D	H	O	I	C	B	P	U	Z	P
R	C	O	S	L	V	A	Y	E	W	E	I	N	D	M	F	D	R	E	H
P	O	C	O	P	E	P	N	C	A	T	B	L	Q	Y	T	T	B	D	E
C	U	O	A	T	V	A	V	T	C	M	I	P	A	P	S	R	C	I	X
O	N	V	B	L	A	U	G	A	K	U	P	M	O	J	B	O	L	G	N
M	C	E	O	C	L	L	F	U	G	T	X	U	E	Y	K	O	I	R	O
M	I	Y	A	S	E	I	P	A	E	G	R	U	O	R	F	P	Q	O	I
I	L	T	R	T	C	N	A	I	S	O	C	I	E	R	I	P	U	T	N
T	A	N	D	X	L	H	O	N	Q	K	O	P	B	V	G	I	E	D	U
T	K	E	S	F	E	G	O	I	C	R	R	A	U	E	C	W	T	N	N
E	C	M	X	O	N	T	A	O	T	E	P	C	S	F	Z	G	Y	H	C
E	O	I	Z	M	A	M	L	N	L	A	S	K	Y	L	I	M	A	F	O
E	A	G	S	I	P	F	C	F	G	J	R	A	V	E	I	Z	P	A	L
L	L	E	S	R	E	H	U	G	D	D	O	E	C	U	Q	L	I	K	B
G	I	R	A	E	D	E	N	J	K	L	N	L	D	R	K	E	Y	D	S
G	T	B	L	D	I	A	B	B	E	G	U	A	J	E	C	D	W	K	I
A	I	D	C	R	F	O	U	G	T	B	I	X	B	A	F	F	Q	H	J
G	O	E	R	O	U	P	I	Q	F	O	M	Y	R	P	V	Z	Q	Z	G
A	N	D	C	L	L	G	A	S	S	O	C	I	A	T	I	O	N	R	A

ALL TOGETHER

- ALLIANCE
- ASSOCIATION
- BAND
- BEVY
- BLOC
- BOARD
- CLAN
- CLASS
- CLIQUE
- CLUB
- COALITION
- COMMITTEE
- CORPS
- COUNCIL
- COVEY
- FACTION
- FAMILY
- FEDERATION
- FLOCK
- GAGGLE
- GANG
- GROUP
- GUILD
- HERD
- LEAGUE
- ORDER
- PACK
- PANEL
- PLATOON
- RACE
- REGIMENT
- SCHOOL
- SECT
- SQUAD
- TEAM
- TRIBE
- TROOP
- UNION

J U T A S T E B L E A V E S C E E P H Y
S F Y R E C U A S H B W W O R U D T N N
D O I S M A S S A C Q Y T Q E S P B B F
S A W N M C E Y L O N U N F N T Q W O L
G S R E D D B B L E N D I R I R S H I A
A E R J R I I A O E Q I M A A O P M F V
B D L Q E B A L Y L R D R G R N N J G O
A D I I W E E N J T J T E R T G Z Z D U
E B R B M F L O R T G E P A S H Z N P R
T K E Y O O A I E E O A P N I L A T B N
X N F V R I M M N K O P E T V T O Z Y B
D I R H E R L A Y G I O P Q S H H O Q M
W R E I T R I D C I J T C I N Q S Q S G
R D S E D J A T R S E R H E R B W R G E
U Y H E C P L G S K S G W O L L E M O N
Y G I P R T O H E U E A R L G R E Y K X
A M N O O P S F G N D W U V H B T Y E S
R J G J I P E A H U H X G R C D E Y S W
I Q P O U R R W V V K Y S E I C E D T T
D M I L K Y M U I V D Y Z K R S G I Z Y

TEA TIME

- ASSAM
- BEVERAGE
- BLEND
- BOIL
- BREW
- CAMOMILE
- CEYLON
- CUP
- DARJEELING
- DRINK
- EARL GREY
- FLAVOUR
- FRAGRANT
- HERB
- HOT
- ICED
- INDIAN
- KETTLE
- LEAVES
- LEMON
- LID
- LOOSE
- MELLOW
- MILK
- PEPPERMINT
- POUR
- REFRESHING
- RICH
- SAUCER
- SPOON
- STAND
- STIR
- STRAINER
- STRONG
- SUGAR
- SWEET
- TASTE
- TEA BAGS
- TEAPOT

I V A B U N D A N T A P B U P Y C S X U
U C O V I A Q U E E N X U A Y M Y S U N
T Y R I C S U O D N E M E R T T I K O S
I T M E S O I D N A R G J Y S K L Q I U
G N S T U O T S T S A V K L U Y S G E B
M E U L A T N E M U N O M T V U E U L S
U L O S U Q S E M K G F T E O C O I B T
N P R U V X G S K F F A L T T D Q F U A
G Y T O E U E U B Y E P N K E J A F O N
A L S M H R H E L R M E D A T T P X D T
M T N R G U E G G A M Q H R N W N T L I
V R O O O F A I O O C J Y O A S S A M A
T O M N Y S P R M J O U W L I I H Q R L
N P C E G R A L V O R M S S G J Y J G Q
A E R A P D O L C G P B H E F T E J N R
Z X A O W E O H P G U O R G M S Z U I P
J C O L O S S A L S L R I H M M V E K M
B L O A T E D E I F E B E S N E M M I U
F D O V T V A Z B C N M Z A Y G D U P L
N N W C V M E J N O T Y B U L K B M S L

GIGANTIC

- ABUNDANT
- AMPLE
- AREA
- BEEFY
- BIG
- BLOATED
- BULK
- CLOD
- COLOSSAL
- CORPULENT
- DOUBLE
- ENORMOUS
- FAT
- GIANT
- GRANDIOSE
- GREAT
- HEAP
- HEFT
- HUGE
- IMMENSE
- JUMBO
- KING
- LARGE
- LUMP
- MAGNUM
- MASS
- MOMENTOUS
- MONSTROUS
- MONUMENTAL
- OBESE
- OGRE
- PLENTY
- PORTLY
- PUDGY
- PURSY
- QUEEN
- SIZE
- STOUT
- SUBSTANTIAL
- TREMENDOUS
- VAST

E M R E D L U O H S K U W T U H G T J X
E X D J T T E Y E L I D O X X C E R O K
T A U O A D A E H J R N L M Y I K A C N
V U X O N S O S E T G Y Y C D W G E M U
P D R I K S K M H U U Y L I T Z S H K C
K H H E S N J R E T P O L P B K I S H K
T C Z L E H S A L E Y E M N G I T X Q L
J U I E W W J E Y E S Z G B H O C F N E
Q A S Y S M S D N A H J J X M N S E S S
N R D R E G N M E N N M A A C T K P P Q
F D A E N K Z N L K N F C P H V K C I S
I E L L J C P U B L S H N I E L E L P H
N K Z E B E Y L O E C S W T S W A G K F
G T V O G N U B W S G N U L T E P L C A
E H S B V S W V N K S E V L A C E H A C
R Z R I O Q E O Z H T P T S P I L E B E
S Q I Y R B S S G R W O E X M N Y E T I
M N A K Q W C I O W A Y E D R V Z L F F
D E H U T T H U I N J J F S S J C K H O
X F H G S T U Q J S B M U H T X M H A E

BODY LANGUAGE

- ANKLE
- ARMS
- BACK
- BICEPS
- CALVES
- CHEST
- CHIN
- EARS
- ELBOW
- EYELASH
- EYELID
- EYES
- FACE
- FEET
- FINGERS
- HAIR
- HANDS
- HEAD
- HEART
- HEEL
- HIPS
- JAW
- KNEES
- KNUCKLES
- LEGS
- LIPS
- LUNGS
- MOUTH
- NAILS
- NECK
- NOSE
- SHOULDER
- STOMACH
- THIGHS
- THROAT
- THUMBS
- TOES
- TONGUE
- WRIST

MOTIFS
Solutions

Page 3

```
_ _ _ D I _ _ _ T _ _ _ E N _ _ _ _ _ _
_ _ _ I N _ G _ N B A D L A _ D _ _ _ _
_ S _ S D _ N _ E D _ _ B E _ I _ _ E E
_ H _ A E E I _ R I _ _ A M _ R _ _ V L
D O _ G C V T _ R R _ _ N _ _ T _ _ I I
E C _ R E I S _ O E _ _ I _ _ Y _ C S V
T K _ E N S U _ H F _ _ M _ _ _ O _ N G
E I R E T L G U B U _ _ O _ _ N _ _ E N
S N E A _ U S G A L _ _ B _ T _ _ _ F I
T G P B _ P I L _ _ _ _ A E _ _ _ _ F L
A _ U L _ E D Y _ _ _ A M L _ _ _ _ O L
B _ G E _ R _ _ S _ W P _ _ U _ _ _ _ A
L _ N _ _ _ _ U _ F T _ _ _ _ F _ _ _ P
E _ A _ _ _ O _ U I _ _ _ _ _ N E _ _ P
B _ N _ _ E _ L B _ _ _ _ _ _ _ A T _ A
A _ T _ D _ _ L E L B I R R O H _ S A _
S _ _ I _ _ E T N A S A E L P N U _ T H
E _ H _ _ _ _ _ _ _ _ _ _ _ _ _ _ _ _ Y
_ E L B A R C E X E _ _ _ _ _ _ _ _ _ _
R E V O L T I N G E M O S H T A O L _ _
```

Page 5

```
_ _ _ _ _ _ _ _ _ _ _ _ _ _ _ _ _ P _ _
_ _ _ N _ _ _ _ _ _ _ _ _ _ _ _ _ U _ _
_ _ A T _ _ T U R N O V E R _ _ _ P _ _
_ O _ _ S _ _ _ _ _ _ _ _ _ C _ _ M _ _
M _ _ E _ A _ _ _ _ _ _ _ _ _ L _ U _ _
_ _ _ _ Z _ F _ _ _ _ R _ _ _ _ O J _ _
_ _ _ _ _ O G K _ _ _ _ I _ _ _ _ C _ _
_ _ _ _ _ _ O N A _ _ _ _ N _ P _ _ K _
_ _ _ _ _ _ _ N A E _ _ _ _ G U Y _ _ _
_ _ _ _ _ _ _ _ S L R _ _ _ S S L _ _ _
_ _ E _ _ _ _ _ _ _ C B P E _ N R _ _ A
_ Z _ S _ _ _ _ _ _ E _ I U _ U A _ L _
_ _ Z _ I _ _ _ _ S C R _ _ E S E E _ _
S _ _ U _ O _ _ I I C _ _ D _ K R _ _ _
H _ _ _ B _ N R S B R _ _ A _ T A _ _ A
O _ _ Y A W N U L A _ _ _ W _ _ _ W L _
U _ _ _ _ _ M A D _ _ _ _ N _ _ _ A _ _
T _ _ _ _ _ S I _ _ _ _ _ _ _ _ R _ _ _
_ _ _ _ _ T O _ _ L W O R G _ M _ _ _ _
_ _ _ _ _ _ _ _ _ _ _ _ _ _ _ _ _ _ _ _
```

Page 7

```
_ _ _ _ N O I S S A P M O C E _ D _ _ _
_ _ S J E A L O U S Y _ _ G _ R _ _ _ _
_ _ _ S _ _ _ _ _ R _ _ A _ E _ _ _ _ _
_ _ _ _ E _ P I T Y P R _ A _ F A I T H
E M A H S C Z _ _ P U R D _ P R I D E _
_ _ _ _ _ E C _ _ O M _ I _ _ _ F D _ _
T _ _ E A _ S U C _ _ E _ S _ _ A I L _
_ A W L R _ _ P S _ H _ T _ E _ T S O Y
_ _ E O _ I T T I _ _ O D N _ _ I M V T
_ _ _ F R _ S H S T _ M N E O _ G A E I
Y _ _ _ E R _ E G E E _ O E L C U Y _ D
_ H _ _ _ D Y _ D I Z _ _ D S I E _ _ I
_ T T Y T I N G I D R _ _ _ E T G _ _ M
_ E _ A _ _ _ _ _ _ _ F _ _ _ R Y H _ I
_ R _ _ P _ _ C O N C E R N T _ O G T T
_ G _ _ _ A T S U R T _ _ B _ N R B _ B
_ E _ _ _ Y T I N A V _ _ _ L I E _ _ U
_ R _ _ _ _ _ _ _ _ _ _ _ _ E I _ L _ O
F E A R _ _ _ _ _ _ _ _ _ F _ _ S _ A D
_ _ _ _ _ Y T E I A G _ _ _ _ _ _ S _ T
```

Page 9

```
_ B _ T _ _ T _ _ _ Y W A T E R _ _ _ _
_ R _ _ I N _ _ _ R _ _ _ _ _ _ _ C _ _
_ U _ _ I N S _ E Y E L L O W _ O _ _ _
_ S _ A _ H T L _ T N E L A T N H S A W
_ H P _ A _ L _ _ _ _ _ _ _ S H _ _ _ _
D E R D _ A E N E C S _ _ T _ C H U E S
_ _ E _ G P _ _ _ L _ A A _ _ T _ _ _ _
_ _ _ _ _ F I _ _ _ I B V _ _ E _ _ _ L
_ E _ _ _ O _ C _ S L C _ N _ K _ _ _ L
_ A _ _ _ R T T T E T _ N _ A S _ G E I
_ S _ _ _ M _ C H U _ I _ E _ C R U _ M
_ E _ _ _ _ E A A E R _ L _ P E L R _ D
_ L _ _ A _ P _ R R H E _ L E B _ E R R
D _ _ R _ _ A S _ T T A F N L _ _ P E O
_ R T _ _ L C R _ _ I S Y R _ I _ A T F
D _ A _ _ I S U _ _ _ S B W A _ F P N T
_ R _ W _ O D O _ _ _ _ T A A M _ E I A
_ _ Y _ _ _ N L _ _ _ _ _ _ _ I E _ A L
K L A H C _ A O _ _ _ K O O L _ N _ P F
_ _ _ _ _ _ L C _ _ M U I D E M _ _ _ _
```

Page 11

```
_ _ _ _ _ A R E T P O E L O C _ _ _ _ _
C _ _ _ _ _ _ _ _ _ _ _ A _ _ _ _ _ C _
H _ A _ _ _ _ _ _ _ A M E N I C _ _ U _
A C L _ _ _ _ _ _ _ O _ _ _ _ _ _ _ P A
R O L _ _ _ _ _ _ N _ _ _ _ _ _ _ _ O Z
I B I _ _ _ _ _ I A E C A T S U R C L N
S R H A _ _ _ C A _ _ _ _ _ _ _ _ _ A E
M A C N _ _ R R _ C O N C E R T I N A D
A M N O _ A T _ _ C A L E N D U L A _ A
_ O I R C N _ _ A T A L O P I H C _ _ C
_ C H O O _ _ _ _ _ A M M O C _ _ A C _
_ _ C C _ C A M E R A A _ _ _ _ _ L U C
_ _ C _ _ C A N A S T A N _ _ _ _ L R I
A I R E T E F A C _ _ _ _ I _ _ _ O I C
_ _ I _ _ _ _ _ _ _ _ _ _ _ R _ _ R A A
C _ T _ _ _ A I L L E M A C _ A _ O _ D
O _ E _ C A I P O C U N R O C _ C C _ A
C _ R _ O _ _ A R O V I N R A C _ _ _ _
O _ I _ D _ _ _ _ _ _ _ _ _ _ _ _ _ _ _
A _ A _ A _ _ _ _ C A N D E L A B R A _
```

Page 13

```
_ _ _ _ P I E D _ _ _ _ _ P _ _ _ _ _ _
_ T H G I L _ A _ _ _ _ L I A U Q _ _ F
_ _ _ H T O M K _ _ _ _ _ P _ _ _ _ _ R
T W E E D _ _ L _ _ _ S _ S _ _ _ _ _ E
T O P S K N I O _ _ I _ _ _ T U O R T C
_ _ T H O T S P O T S _ _ E L A C O L K
_ S _ O O D _ _ E _ _ B L E M I S H _ L
_ _ T T L _ O _ D A L M A T I A N A _ E
_ _ N A O E _ M _ _ _ E C I D _ R _ _ S
_ I _ M I P C _ I _ S _ _ _ _ E _ _ _ _
P G O _ _ N S O _ N T L I Z A R D _ _ _
_ L I D A O T N _ _ O _ D E L T T O M _
E _ _ R _ D _ _ U _ D E _ _ K C E L F _
_ _ _ _ A _ R _ _ S _ _ S S T A R S _ _
E _ _ _ _ F _ A _ _ R _ _ _ _ _ _ P _ _
_ C _ _ _ _ F _ P E P E A C O C K E _ _
_ _ A _ _ _ _ E D O E _ _ _ _ _ _ C _ _
_ _ _ L _ _ _ I _ I E _ _ _ _ _ _ K _ _
_ _ _ _ P _ P _ T _ _ L _ _ _ _ _ _ _ _
_ E E S _ S _ _ _ _ _ _ _ S K R A M X _
```

Page 15

```
T _ _ _ _ _ S _ E _ _ _ _ _ _ _ _ _ _ S
_ I _ _ _ _ H _ _ S _ _ _ H _ _ _ _ R _
_ _ U _ _ _ O _ _ _ U _ _ _ A _ _ E _ _
_ S _ S _ _ E N W O G O _ _ _ N P _ _ _
J T _ _ P _ S _ _ _ _ _ L _ _ P G _ _ _
U R _ _ _ M _ _ _ _ _ _ _ B I _ _ E _ _
M I _ _ _ _ U _ _ _ S R _ L _ _ _ _ R _
P H _ _ _ _ _ J _ _ E H S _ _ _ _ _ _ S
E S _ _ _ _ _ _ _ T _ _ E _ _ _ _ _ _ _
R _ _ _ _ _ _ _ A S _ _ _ L _ S T O O B
_ _ _ _ _ _ _ E T _ _ _ _ _ F _ E _ _ _
_ _ _ _ _ _ W L P A N T S _ S _ P _ _ _
_ _ _ _ _ S E _ _ _ _ V _ _ N _ A _ _ _
_ _ _ _ _ B _ _ _ _ _ E _ _ A _ C _ _ _
J _ _ _ T _ _ _ _ _ _ S _ S E _ _ _ _ _
A _ _ A _ _ _ _ _ _ _ T T B J _ _ _ _ _
C _ O _ _ _ _ _ _ _ _ A O _ _ _ _ _ _ _
K C _ _ _ _ _ _ _ _ H R _ _ _ D R E S S
E _ _ _ _ _ _ _ _ _ _ _ S L A C K S _ _
T S K I R T _ _ _ _ _ _ _ _ _ _ _ _ _ _
```

Page 17

```
_ _ _ _ _ _ _ _ _ _ _ _ _ _ _ _ _ _ _ _
_ _ _ _ _ _ _ _ _ _ _ _ C _ _ _ _ _ D _
_ _ _ _ L _ _ _ _ _ E _ L F _ _ _ O _ _
_ _ _ R E N _ _ _ _ S _ U _ _ _ W _ _ _
_ _ _ E T O _ L _ D A N E _ _ N N _ _ _
_ _ _ P T I _ I _ E R _ _ _ S K U _ _ _
_ _ _ A E T _ C _ F E _ _ _ O N M _ _ _
_ _ _ P R A _ N Y I _ _ _ _ L I B _ _ _
_ _ C S S I _ E S N _ _ _ _ V H E _ _ _
_ _ R W N V _ P A I _ _ _ _ E T R _ _ _
_ _ O E E E Y _ E T _ _ _ _ S _ _ _ _ _
_ _ S N H R R _ _ I _ _ _ _ Q G _ _ _ _
_ _ S _ P B A _ _ O S _ _ _ U _ N _ _ _
_ _ W _ Y B N _ _ N S _ _ _ A _ _ A _ _
_ _ O _ H A O _ _ _ O _ _ _ R W _ _ L _
_ _ R _ _ _ I _ _ _ R _ _ _ E _ O _ _ S
_ _ D _ _ G T _ _ _ C _ _ _ _ _ _ R _ _
_ _ _ _ _ R C _ _ _ A _ _ _ _ _ _ _ D _
_ _ _ _ _ I I _ _ _ _ _ _ _ _ _ _ _ _ S
_ _ H A R D D _ _ _ _ _ _ _ E L Z Z U P
```

Page 19

_ _ _ _ _ _ _ _ _ _ _ _ _ M _ _ _ _ _ _
_ _ _ _ _ M C L A I M _ _ _ O _ _ _ _ _
_ S H A R E A _ _ _ _ _ _ _ _ D _ _ E J
_ _ _ _ R _ _ T _ _ _ Y A L P _ N C _ A
_ _ _ L O _ _ _ C _ C L G _ _ C N A _ C
_ _ _ O L _ P _ _ H _ O U _ C A A _ R K
_ _ N T L _ _ R E _ O M _ C H H _ S _ P
A _ O T O _ _ C I D _ _ I C K _ E Y H O
M _ I E V _ K _ C Z E _ _ L _ Y L Q _ T
O _ T R E _ _ A P N E T _ _ L K W _ U _
U _ A Y R N U _ I I E S _ _ E I _ A M E
N _ C _ _ S U N B L L _ D E _ _ O O R _
T _ O _ E Y Y M E O S S W N _ _ N N _ D
_ _ L S _ T A V B _ A I Y _ U E _ _ S L
_ W L _ R _ I D _ E _ R X A Y O _ _ I _
_ I A O R S _ _ R _ R _ D _ P _ P V _ _
_ N F _ E U _ _ _ U _ S _ _ _ _ E _ _ _
_ N _ D B A L L S _ T S E L E C T _ _ _
_ E _ _ _ _ _ E _ _ _ A _ _ _ S U N O B
_ R _ _ _ _ _ _ S _ _ _ S T E K C I T _

Page 21

_ _ _ _ _ _ _ _ _ _ G L _ _ _ _ _ _ _ _
_ _ _ _ _ _ R _ _ _ N I _ _ _ _ _ _ _ _
J _ _ _ _ _ O _ _ _ I S _ _ _ _ _ _ _ _
_ A _ _ _ _ H _ _ C L T R U L E S _ _ _
_ _ R _ _ _ P _ _ O L E _ _ S S _ _ _ _
_ _ _ G _ _ A _ _ N E N _ _ R P Y _ _ _
_ P _ _ O _ T _ _ V P _ _ _ E _ R A _ _
T A _ _ _ N E _ _ E S _ _ _ W _ _ O S _
A T _ _ _ _ M _ _ R _ _ _ _ S _ _ _ S _
L O _ _ _ S _ _ _ S D R O W N _ _ _ _ E
K I _ _ _ _ R H C E E P S C A _ _ _ _ _
I S _ _ E D _ A _ D _ _ O _ E G A S U S
N _ _ _ S _ E _ E _ _ M _ _ T _ _ _ _ B
G _ _ _ A _ _ U _ H P _ _ _ A _ _ D _ R
_ _ _ _ R _ _ _ G O _ S _ _ R _ E _ _ E
_ S _ _ H _ _ _ S R M _ _ _ O K _ _ _ V
_ _ L _ P _ _ I _ O A _ _ _ S _ _ _ _ _
_ _ _ A _ _ N _ I _ _ _ _ A _ _ _ _ _ _
_ _ _ _ N G _ D _ P R I N T _ _ _ _ _ _
_ _ _ _ _ G I _ _ _ Y R T E O P _ _ _ _

Page 23

R E C O G N I T I O N O _ _ _ _ _ G _ _
_ _ _ _ _ _ _ _ _ _ E P _ _ _ _ L _ _ _
_ E T A T S E _ _ _ X U _ _ _ O _ _ N _
D _ S _ _ _ _ _ _ _ A L _ _ R _ _ O _ _
A _ P M O D R A T S L E _ Y _ _ T S _ _
E _ O G R A N D _ _ T N _ _ _ E _ U _ _
L _ T E C N E N I M E C E _ T _ _ C T _
Y W L _ _ _ D N V _ D E G _ E _ _ C H _
C E I _ _ _ I O _ A _ _ I _ S _ _ E G _
N A G _ _ _ R T _ _ L _ T _ S _ _ S I _
A L H _ _ _ P A _ P _ U S _ A _ _ S M _
I T T _ _ _ _ B _ E _ _ E _ C A R E E R
L H _ _ _ _ _ L _ A _ _ R _ E _ _ _ _ E
L E M E H C S E _ C _ E P _ _ C _ _ _ N
I P E N C H A N T E W _ _ _ _ _ R _ _ U
R _ R A N K _ _ _ O _ _ _ _ _ _ _ O E T
B _ S U T A T S P E S U A C _ _ _ M F R
_ _ _ T N E M E V E I H C A _ _ A _ _ O
_ _ _ _ _ _ _ _ Y T U A E B _ F _ _ _ F
S C H O L A R S H I P _ _ _ _ _ _ _ _ _

Page 25

_ _ _ _ _ _ S _ _ _ _ _ _ _ _ _ _ _ _ _
W R _ _ _ _ _ O _ _ _ _ S N O W B A L L
H A E _ _ _ _ M D _ _ _ _ T T _ _ _ _ _
I K _ E _ _ H _ U A _ _ A U E _ _ _ _ _
S D _ _ B _ C _ _ R V _ R O V _ P _ _ _
K O _ _ _ B L _ P _ N L R T L _ E _ _ O
Y V _ _ R _ I _ U _ A _ A S E G R _ Z _
_ _ _ A _ _ M _ L S T _ C C V I N U _ _
_ _ N R T _ U _ Q I T _ K _ K M O M _ R
_ D _ E _ E A T U S A _ _ T C L D E _ E
Y _ _ V _ _ R I E S H _ E R A E _ A _ G
_ _ _ I _ _ F A _ A N _ K O L T _ D _ A
_ _ _ R _ _ B M L C A _ A P B _ _ _ _ L
_ _ _ D _ O E A _ C M _ S _ K V A S S _
_ H _ W H L I R E T S I N A _ _ N I G _
_ C _ E O O L I _ _ _ _ _ _ _ R E D I C
_ S _ R C R _ A _ _ _ Z T I V O V I L S
_ R _ C K O _ R O B R O Y _ _ _ _ _ _ _
_ I _ S _ S _ _ _ _ _ O N I F _ _ _ _ _
_ K _ _ _ O _ _ _ _ _ _ T E Q U I L A _

Page 27

D I A M _ _ _ _ _ _ _ _ _ _ _ U N D E R
_ _ _ _ _ _ _ _ _ _ _ _ _ _ _ _ _ _ _ _
_ N _ _ Z _ _ _ _ _ _ _ _ _ _ _ _ _ _ _
_ E _ _ O G R E E N _ _ _ _ _ _ _ _ _ _
_ P _ _ N _ _ D _ _ _ _ _ _ _ _ _ K _ _
_ O _ _ E _ E _ _ _ _ _ _ _ N _ _ E _ _
E Z I R P N _ _ _ _ _ _ _ _ U _ _ E _ _
_ R _ _ R _ _ _ Y O C E D _ O _ _ P S _
_ E _ A _ I _ _ _ Y A R D _ N _ _ _ L _
_ W E _ _ D _ _ _ _ _ E S A V _ _ _ I _
_ O _ _ _ E _ _ _ _ R _ _ _ _ _ _ _ C _
_ L _ _ _ A _ _ _ O C _ _ _ W _ _ _ E _
T F _ T _ L _ _ A _ A _ _ _ A _ _ _ _ _
N _ _ _ I _ _ S _ _ R _ _ _ L _ _ _ _ _
I _ _ _ _ U T _ _ C E _ _ _ L _ _ _ _ N
O _ _ _ _ _ Q _ _ E E _ _ _ _ _ _ _ R _
J _ _ T I M R E H B R _ _ _ _ _ _ A _ _
_ _ _ E C I W T _ E _ _ _ _ _ _ E _ _ _
_ _ _ _ E L B I B X _ _ _ _ _ L _ _ _ _
_ _ _ _ _ A C R O B A T _ _ _ _ _ _ _ _

Page 29

_ _ _ N _ _ _ _ _ P O U N D A G E L _ _
_ _ _ _ I _ L E K E H S _ _ _ _ A _ K B
_ D R A M A F H E F T Y _ _ _ D _ I U _
_ _ C _ _ A G _ _ _ _ _ _ _ E E L R T _
P _ M H T _ Y T I S E B O N V O D M O Y
_ M _ R U _ _ _ B _ _ _ _ I G E A _ N O
_ _ U _ E N _ _ U _ _ _ S R N R _ _ S K
_ D _ L _ D K _ L _ _ S A S G _ _ _ _ E
M A _ _ P E Y Y K _ A M O _ _ _ _ _ S _
E O _ _ S S L H S M S M _ _ _ _ _ _ U _
G L _ _ T U N E C S E U W T A R A C O C
A _ _ O _ I O _ P A E _ O E _ _ _ _ R O
T _ U _ A _ _ T _ H P R _ R I _ _ _ E R
O T _ H _ _ _ E N _ A L T _ E G _ H D P
N _ C _ S _ _ N Y E _ N A S _ N H E N U
_ Y H S E L F O _ B T _ T T _ _ O A O L
_ _ A _ _ _ _ T _ _ B R _ I N _ _ V P E
_ M _ _ _ _ _ S _ _ _ U O _ N E _ Y _ N
_ _ _ Y L T R O P _ _ _ H P _ E C _ _ C
_ L E A D E N _ _ _ _ _ _ C _ _ _ _ _ E

Page 31

_ _ _ _ _ _ _ _ _ _ _ T _ _ E B B A R C
_ _ N _ _ _ _ _ _ _ H _ T F I W S _ L _
_ _ O _ _ _ _ _ _ A _ _ T _ _ _ _ _ L _
_ _ T _ _ _ D _ C _ _ E R _ _ N _ _ O _
_ _ L _ _ R _ K D _ N E S _ _ I _ B R _
_ _ I _ A _ E E _ N C C _ _ _ K _ R R _
_ _ M P _ R F _ Y U O _ G _ _ S _ O A _
_ _ P _ A O _ S A T _ _ O K D U _ W C _
_ O _ Y E _ O H T _ _ _ L I I R _ N _ S
C _ _ _ _ N C _ _ _ _ _ D P C _ _ I _ A
_ _ _ _ I T T E S S O R S L K N _ N _ C
_ _ _ _ _ _ _ _ _ _ _ E M I E A _ G _ U
_ _ _ _ _ _ _ _ _ _ _ _ I N N Y _ _ _ L
_ _ E N L I M _ _ _ _ _ T G S N _ _ _ _
T G R A H A M E _ _ _ _ H _ _ U _ _ _ _
O _ _ _ Y E L L E H S _ _ _ _ B _ _ _ _
I _ _ _ _ _ _ _ _ _ _ S T E V E N S O N
L _ E G D I R E L O C _ _ _ _ _ _ _ _ _
E _ _ _ _ _ B A R R I E _ B M A L _ _ _
_ _ B R O N T E _ _ _ _ _ K E A T S _ _

Page 33

_ T _ _ _ _ L E M O N _ _ _ _ _ _ _ _ _
_ U O _ D _ _ _ J A M _ _ _ _ _ _ _ _ C
_ N R _ E M R I A L C E _ _ _ T R A T R
_ H A _ S _ E I C E C R E A M _ _ _ _ E
_ G N _ S _ _ R C O C O N U T _ _ _ Y A
Y U G _ E _ _ _ I _ _ F _ _ _ _ F R _ M
K O E _ R S T U N N U E C I L S R E _ _
C D _ _ T _ _ _ _ D G N I C I E U T _ _
I _ _ _ _ _ _ _ G C _ U _ _ H _ I A _ _
T _ _ _ _ _ S E E _ U _ E C _ _ T L _ _
S _ _ _ _ B T T G _ R S _ _ _ C _ O _ W
S Y R U P R R R N _ _ A T _ _ A _ C _ A
_ _ _ _ P A A E O H _ T G A _ K _ O _ F
_ _ _ _ U B W A P C _ O _ U R E _ H _ E
P _ _ _ D U B C S I _ F _ _ S D _ C _ R
_ E _ _ D H E L _ R _ F I L L I N G T _
_ _ A _ I R R E _ _ _ E _ _ _ _ _ _ E _
_ _ _ R N _ R _ _ _ _ E _ _ _ _ _ _ E _
_ _ _ _ G _ Y _ _ _ L E M A R A C _ W _
_ E I P E L P P A _ _ _ A L M O N D S _

Page 35

```
_ M G _ _ _ _ _ _ _ _ _ _ _ _ _ _ _ _ _
_ A A _ _ L _ _ _ _ _ R E D D U R _ _ _
_ R L _ _ W R E K A N N I P S _ _ _ _ _
_ I L _ _ A _ _ _ _ _ _ _ _ _ H T _ _ _
K N E _ _ Y _ _ _ _ _ _ _ _ U _ A J I B
E A Y _ _ M L E H E _ _ _ L _ _ C _ _ _
T R E T A W F _ _ S R _ L _ _ _ K _ _ _
C _ T S A M R _ _ I O T H C A Y _ S _ _
H _ _ _ _ _ E E H U H _ _ _ _ D K _ _ _
S _ _ _ _ _ E E C R C _ _ _ N R _ D B _
T _ _ _ _ _ B L N C N _ _ I A _ R G A N
A R _ T F A O A U _ A _ W W P A N _ T A
R K O _ _ _ A _ A N _ _ L O W I _ _ T R
B _ C P _ _ R _ L R _ U O E G _ _ _ E A
O _ _ E Y _ D _ _ E B L E G _ _ _ _ N M
A _ _ O D _ _ _ _ T S L I A S _ _ _ K A
R _ U _ _ _ _ _ _ S A R _ N I B A C E T
D B _ _ _ A W E I G H _ R E S W A H E A
_ _ _ S P A R _ _ _ O _ _ _ _ _ _ _ L C
_ _ _ _ _ _ B O O M Y _ _ _ _ _ _ _ _ _
```

Page 37

```
C _ _ R I A H C H S U P _ _ P _ _ _ _ _
_ O L L _ G N I T T I N K _ _ L _ _ _ _
_ I T U _ _ _ _ P E E L S C _ _ A _ _ _
O _ _ L _ _ _ Y H T L A E H I _ P Y _ _
_ _ _ L E _ _ _ _ _ _ _ _ _ _ N _ R _ _
E _ _ A T _ N U R S E R Y _ _ _ I _ A _
_ L _ B T F _ _ K L A T _ _ _ _ _ L _ M
_ _ T Y E _ E _ T _ _ _ N Y O B _ _ C H
_ _ _ T Y W _ E B E _ _ _ A _ _ _ E _ I
_ _ _ K A _ _ _ D O E _ _ _ P _ _ L _ G
_ _ L K L R _ _ _ I O T _ _ _ P _ T L H
_ I E M I T T E N S N T H W _ _ Y T E C
M _ _ _ _ _ _ B _ _ _ G E I E _ _ O W H
_ _ H G U A L A _ E T U C E N I _ B O A
_ _ H T _ _ _ B H E I G H T S G G _ T I
_ _ T S _ _ _ Y P O W D E R C E _ H _ R
_ _ A E _ _ _ _ _ _ _ _ _ R L _ _ _ T _
_ _ B V _ _ S Y O T _ _ A I _ W A L K _
_ _ _ _ _ _ _ _ _ _ _ W M _ _ _ _ _ _ _
_ G I R L _ _ _ _ _ L S _ _ _ _ _ Y R C
```

Page 39

```
_ _ _ _ D L R O W _ _ _ _ M A M M O T H
_ G R A N D _ _ H T A I L O G _ _ _ _ _
_ L _ _ T I T A N _ _ C R O W D _ _ _ _
_ _ E _ _ _ _ _ _ R E P P O H W _ _ A M
H _ E V _ _ _ _ _ A U T N A G R A G R O
O O L _ I _ C E G U H _ _ _ _ _ _ _ M S
R P I _ _ A K O _ M A S T O D O N _ Y T
D P P _ _ G T N L A _ _ _ _ _ _ _ _ A _
E I _ T _ _ N H U O L _ _ _ _ _ _ _ P B
_ H _ N _ _ _ O A H S A _ _ _ _ _ A P O
_ _ _ A _ _ B _ R N C S S _ _ _ I _ L U
_ _ _ H _ E _ _ _ H _ _ U K _ S Y _ E L
_ L _ P N _ _ _ T _ T _ _ S A _ X _ L D
_ A _ E _ _ _ S U N I V E R S E A S A E
_ R _ L _ _ A T N A I G K L U B L E H R
_ G _ E _ V H T O M E H E B _ _ A A W _
_ E _ _ _ _ _ C O N C O R D E _ G _ _ _
_ _ R U A S O N I D _ _ _ _ A H T R E B
_ _ _ _ _ _ _ _ _ _ _ P Y R A M I D _ _
_ _ _ _ _ _ _ _ N A E C O _ _ O B M U J
```

Page 41

```
_ _ _ _ E T S A T _ _ _ _ _ _ _ _ _ _ _
_ A P A R C S _ _ E C E I P _ _ _ _ _ _
_ _ T _ T H R E A D _ _ _ _ E K A L F E
_ _ _ O _ _ P I N S _ _ _ _ S S _ _ _ L
_ G _ _ I T N E M G E S _ T _ L _ P F P
_ I _ _ _ _ _ _ _ _ _ K I _ _ I _ A R M
S R _ _ C R U M B _ N T E _ _ C _ R A A
L P _ _ _ _ _ _ _ U C _ L N _ E _ T G S
I S S _ _ _ _ _ H H _ _ K O _ _ _ I M _
P _ M _ W _ _ C _ _ _ _ C I _ _ _ C E _
_ _ E _ _ H H C T E K S I T _ _ _ L N _
_ _ A F _ _ I _ _ S _ _ R R _ _ _ E T _
_ _ R L _ _ _ T _ W L _ T O _ _ _ _ _ _
_ _ _ A _ _ _ _ H A P A N P _ _ _ _ _ _
_ _ _ S _ _ _ _ S T O P B O R E V I L S
_ _ T H _ _ _ _ A C R M I _ I D R A H S
_ _ _ R _ _ _ _ D H D O _ H _ T D _ _ _
_ _ _ _ A _ _ _ _ _ _ T _ _ C R C _ _ _
_ L U M P C _ _ _ _ _ A _ _ A _ _ E _ _
_ K N I W _ E T O U C H _ M _ _ _ _ S _
```

Page 43

```
_ _ _ _ _ T E N T _ H _ _ N _ _ _ _ _ _
_ _ _ _ _ _ _ _ _ _ E U _ _ O _ _ _ _ _
_ _ M _ _ _ _ N _ _ _ T T _ _ I _ _ _ _
_ _ _ U _ _ I _ _ _ _ _ T _ _ _ S _ _ _
_ _ _ _ D B _ C _ _ _ _ _ E L _ _ N _ _
_ _ _ _ A H H C _ _ _ _ _ E N _ _ _ A _
_ _ _ C _ A U O _ O _ _ T _ _ O _ _ _ M
_ _ G _ L _ _ T _ _ O O _ _ _ _ S _ _ _
_ O N E _ _ _ T _ _ H L _ _ _ _ _ I _ _
L T T A _ _ _ A _ _ _ _ G _ _ _ _ L A _
_ _ N _ V M _ G _ H _ _ _ I _ _ E _ _ M
_ _ _ E A A _ E O _ _ _ _ _ _ T _ _ _ B
_ _ W W M _ R U _ _ _ _ _ _ S _ _ _ _ E
_ _ G O _ T S A _ _ _ _ _ O _ _ _ _ _ D
_ I _ _ L E R _ C _ _ _ H K _ _ _ _ _ S
W _ _ _ B A _ A _ _ _ _ _ C _ _ _ _ _ I
_ _ _ O _ _ G _ P F _ _ _ A _ _ _ _ _ T
_ _ A _ _ _ _ N _ A L _ _ H E S U O H _
_ T _ _ _ _ _ _ U _ _ A _ S _ _ _ _ _ _
_ _ _ P A L A C E B _ _ T _ _ _ _ _ _ _
```

Page 45

```
_ _ _ _ _ _ _ _ _ _ _ K R I U Q _ _ _ _
S T A M P _ S _ Y T I L A U Q _ _ _ _ _
_ _ _ _ _ _ M _ _ _ _ E L P M I D _ _ _
_ G N I T N I A P _ R _ H T U O M _ _ _
E _ _ _ R _ L _ _ U _ _ _ _ _ M A R K B
L _ R A C S E _ T F E A T H E R _ _ A _
O _ T E C A F X _ T _ _ _ _ _ _ R D _ _
M S _ _ _ D E T A I L _ _ _ _ E G _ _ _
_ _ T A S T E _ _ A F _ _ _ T E T _ _ _
S _ _ _ _ _ _ _ _ R _ _ _ I _ O _ _ _ _
_ E C H I N _ _ E T _ _ R _ B _ C A S T
_ P O _ _ _ _ C _ _ _ W _ A _ _ _ _ A _
_ R _ T _ _ K _ _ _ _ _ J _ _ _ _ M T _
_ O _ _ _ L _ N _ _ S _ _ _ _ _ O _ C H
E M S _ E _ O T _ S _ _ _ _ _ R _ _ N A
N I E S _ S A _ E _ _ S _ _ A _ _ _ I I
O N Y _ E N _ R P _ _ _ O _ _ _ _ _ T R
T E E _ G _ P A _ _ _ _ _ F _ _ _ _ S _
_ N _ _ _ M R _ _ _ _ _ _ _ T _ _ _ I _
_ T _ _ I T _ _ _ _ L A I C E P S _ D _
```

Page 47

```
T _ _ _ _ T _ _ _ E _ E _ _ _ _ _ _ _ _
L K C I R T N _ D _ Z _ _ _ _ _ U F _ _
E _ T _ _ _ _ O _ I _ _ _ _ P O E _ _ _
P A _ U _ O L _ R _ _ _ _ S O _ X _ _ R
_ N _ _ O P U I F F _ _ E P _ I C _ E E
A A _ _ X H T S _ F F T S _ N _ O _ X S
C T R E _ A S _ T _ U A _ S P _ R _ P E
C H E _ S _ E T N _ _ B U _ O _ I _ O N
U E B _ _ _ T _ U _ _ L E _ K _ A _ S T
S M U _ _ _ A _ L O T _ _ R E _ T _ E T
E A T _ _ _ N _ L E _ N _ _ F T E _ I E
R _ _ _ _ _ I _ I T A U G _ U A _ W _ R
_ E _ _ _ P M _ F A R H R W N U T Y _ A
_ _ C D _ I I L Y H G S O I _ N _ F _ S
_ _ _ O _ N L A N _ U _ W T _ T _ I T E
_ _ _ R I _ E M E _ E _ L H _ _ _ L I _
_ _ _ P _ L _ B G _ _ _ _ E _ _ _ I W _
E C A N E M _ A A _ _ _ _ R _ _ _ V T _
E H T A O L _ S T _ _ _ E S A E T _ U _
_ _ _ _ _ _ _ T E _ _ _ _ _ _ _ _ _ O _
```

Page 49

```
_ _ _ _ _ _ _ _ _ _ _ _ _ _ _ P _ _ _ _
_ _ H T O O B _ _ E _ _ _ _ _ _ O _ _ _
_ _ _ _ _ _ _ _ D G _ _ _ _ _ _ _ U _ _
_ _ _ _ _ _ _ _ E A _ _ _ _ _ _ _ K N _
_ _ _ _ _ _ _ _ H C _ _ Y E _ _ _ E _ D
_ _ R O O S T _ S D _ _ _ T V _ _ N _ D
_ _ _ _ _ _ L _ W R _ _ _ _ S I _ N _ O
_ _ _ _ _ L _ A O I _ _ _ _ _ G H E _ V
_ _ _ _ A _ _ V C B _ D _ _ _ _ I L _ E
_ _ _ T _ _ _ I _ _ _ _ E _ _ _ _ P _ C
_ _ S _ _ _ _ A _ _ _ P _ H _ _ _ _ _ O
_ C A G E _ _ R L _ _ E _ _ S _ _ _ _ T
_ _ _ _ _ _ _ Y _ A _ N _ _ _ T S E N E
_ E S U O H D R I B I _ W A R R E N _ S
D _ _ _ _ _ _ _ _ _ _ R _ _ _ _ _ _ _ U
E _ E L B A T S _ P _ _ _ _ _ _ _ _ _ O
N _ _ B A R N _ _ O _ _ _ _ _ _ _ _ _ H
_ _ _ _ _ _ _ _ _ O _ _ _ _ _ _ _ _ _ N
_ _ _ _ _ _ _ _ _ C _ _ H U T C H _ _ E
_ _ _ _ _ _ _ _ _ H C R E P _ _ _ _ _ H
```

Page 51

```
_ _ _ S _ _ _ _ _ _ _ _ _ _ _ _ P _ _ _
_ _ Y _ _ _ _ _ _ _ A _ _ _ _ _ L _ _ B
_ O _ _ _ _ _ _ _ E _ _ _ M _ _ A _ _ I
T _ _ _ _ _ _ _ D _ _ _ _ A _ _ I _ _ R
_ _ _ _ _ _ _ I _ _ _ _ _ E _ _ D _ _ D
E P O C S O D I E L A K _ R _ _ S _ _ _
_ _ _ _ _ _ _ _ _ _ _ _ _ D _ _ _ _ _ _
_ _ L _ _ _ Y _ _ _ _ _ _ _ E R U T A N
_ _ A F _ _ L S _ _ _ _ S U N _ _ _ _ S
_ _ N L _ _ F K _ _ _ _ K I T E _ _ _ N
_ _ D O _ _ R C _ _ _ _ _ _ _ _ _ _ _ O
_ _ S W _ _ E O _ _ _ S T A R _ _ _ _ Y
_ _ C E _ _ T C _ _ _ _ _ _ _ _ _ _ _ A
_ _ A R _ _ T A _ S T N I A P T R A _ R
_ _ P S _ _ U E _ C _ _ _ _ _ _ _ _ _ C
_ _ E _ _ _ B P _ E _ _ _ _ _ _ _ _ _ _
_ _ C L O U D S _ N _ D _ _ _ _ _ _ _ _
_ _ _ _ _ _ _ _ _ E _ _ O W O B N I A R
_ T R E E S _ _ _ R _ _ _ O _ _ _ _ _ _
_ _ _ _ _ _ _ _ _ Y _ _ _ _ F _ _ _ _ _
```

Page 53

```
_ _ _ _ _ _ _ _ N O I S U T N O C _ _ N
P _ _ _ _ _ _ _ D I S C O M F O R T O _
O T _ _ _ K N I K F R A C T U R E I _ _
U R _ _ _ _ _ _ _ _ T N E M R O T _ _ _
N A _ _ _ _ T R A M S _ _ _ _ A S T A B
D V _ _ E H C A D A E H _ _ T _ _ T _ _
I A _ E _ _ _ _ G _ _ _ _ I _ _ _ W B D
N I S S T _ _ C E N _ _ R _ _ _ _ I R N
G L L O _ I _ O L _ A R _ _ _ _ _ N U U
_ _ A R _ _ B M D _ I P _ _ _ _ _ G I O
_ _ P E _ N _ P E _ C H A F I N G E S W
_ _ _ _ _ O _ R E B O R H T K _ _ _ E _
_ _ _ N S I _ E N _ _ _ T I _ G A L L _
T _ _ O C T Y S _ P _ _ C U _ _ _ _ _ I
R _ _ I R A N S P M _ K _ _ C _ _ S _ N
U _ _ S A R O I I A _ A P _ _ _ T _ C J
H _ _ A T E G O N R _ R C _ _ I _ _ R U
_ _ _ R C C A N C C I _ _ H N _ _ _ I R
_ _ _ B H A _ _ H C _ _ _ G E _ _ _ C Y
_ _ _ A _ L _ _ K _ _ _ _ _ _ _ _ _ K _
```

Page 55

```
_ _ _ _ _ _ _ _ _ _ _ _ _ K _ _ _ _ _ _
_ _ _ _ _ _ _ _ L _ _ _ C _ C _ _ _ S _
_ P A V E _ M _ I _ _ I _ Z Q A _ _ U _
_ _ _ L _ Y U _ A _ U _ _ I P U U _ L _
_ _ _ L N _ L _ U Q _ _ _ U A _ A Q P _
_ _ _ O T Q P _ Q T Q Q _ Q T _ _ R _ _
T L E P U S U R _ _ S U U _ C _ _ _ R _
_ P _ I _ R A I I _ R E A O H P A G E Y
_ _ E _ _ U Q P V C _ E U I T _ _ _ H _
_ T _ _ _ O _ U _ E E _ P Q N E P C _ P
_ P A I R P _ _ A _ R _ _ A _ T N E _ A
_ _ _ P I U Q _ _ L P _ _ _ P E _ _ A I
_ _ E E H P _ _ _ _ M E _ _ U _ _ _ _ L
_ _ C E _ S E _ M L A P D Q P A N E L _
Q _ A K _ _ A A P P E R K A _ _ P _ _ _
_ U P _ K _ _ U K L E E P _ L _ U _ _ A
_ _ A _ _ R R _ Q _ _ _ _ _ _ _ N _ T _
_ _ _ R _ R A _ Q U I T _ _ _ _ S O _ _
_ _ _ _ T _ _ P _ _ N A C E P _ U _ _ _
_ _ _ _ _ _ _ _ _ _ Q U I L L Q _ _ _ _
```

Page 57

```
S E B I R T _ _ _ _ _ _ _ _ _ _ _ _ _ _
_ _ L I N E A G E _ _ _ _ _ _ _ _ _ _ _
_ _ _ _ _ _ E L C N U N _ _ _ _ _ _ _ _
W A L N I R E H T O M _ I _ _ _ _ R _ _
_ _ _ _ C R E A T O R _ _ S _ _ _ O _ _
_ C L A S S R A L I M I S _ U _ _ T _ _
_ _ N _ B R E E D _ _ D _ _ _ O _ I _ _
_ _ A _ _ _ _ _ _ _ _ E _ _ N _ C N _ _
_ _ L _ _ _ _ _ E _ _ I _ _ E _ _ E _ _
_ _ C _ _ _ _ _ C _ _ L _ _ M _ _ G _ R
_ _ _ _ _ _ _ _ A _ _ L _ _ S _ _ O _ E
N O I T A L E R R O C A _ _ N _ _ R _ L
_ _ _ _ _ _ _ _ _ _ N _ _ _ I _ _ P _ A
N E P H E W _ _ _ _ E _ _ _ K _ _ _ _ T
_ _ _ P _ _ _ _ _ _ R R O T S E C N A I
_ _ _ _ A _ _ _ _ _ D _ _ _ _ _ _ _ _ O
_ _ _ _ _ R _ _ _ _ L _ _ _ _ _ _ _ _ N
_ _ _ _ _ _ E _ O R I G I N A L _ _ _ _
_ _ _ _ _ _ _ N _ _ H _ _ _ _ _ _ _ _ _
_ _ _ _ _ _ _ _ T _ C B R O T H E R S _
```

Page 59

```
_ E C R E P   Z E N _ _ _ _ _ _ _ _ E _
_ _ _ _ K A N S A _ _ _ _ _ _ _ _ _ L _
_ _ _ I _ _ E _ E N N E Y E H C _ _ O _
C _ _ M E _ E _ A P A C H E _ _ _ _ N _
O _ _ A E _ N _ _ _ _ _ C _ A _ _ _ I K
D _ _ I N _ W _ _ _ _ _ R _ W _ S I M O
O _ _ M W _ A _ _ E _ _ O _ O _ H N E O
M _ _ P A _ H _ E _ _ _ W _ I _ O U S N
_ _ O _ P _ S K _ _ _ _ _ _ _ O S Z _ I
_ M _ _ I R O Q U O I S S C _ H H _ C H
O N B _ _ R _ _ _ E _ _ I H _ A O _ O C
_ A L _ E _ _ _ _ _ T N O O _ P N _ M _
_ T A H P U E B L O A U U C _ A I _ A M
_ C C _ _ _ _ _ _ V _ K X T _ R K _ N A
_ H K _ _ A D I A H _ C _ A _ A U _ C N
_ E F _ _ A _ H _ _ _ O _ W _ _ A _ H D
_ Z O _ _ M O _ _ H _ N _ _ _ _ S _ E A
_ _ O _ _ I _ _ _ O _ N _ _ _ _ _ _ _ N
_ _ T _ _ P _ _ _ P _ A M O H I C A N _
_ E R A W A L E D I _ B _ _ _ _ _ _ _ _
```

Page 61

```
_ _ M A E S N I G N I N I L _ _ _ _ K _
_ _ _ H _ _ _ H E M M I N G _ _ _ C _ _
_ W E T _ E U Q I L P P A _ _ _ O _ E _
B E V O _ _ _ _ _ _ A _ _ _ P M _ T R B
I A E L _ T _ _ P A T C H A S _ S E R _
N V E C E _ L _ _ _ T _ N _ _ A P A _ _
D E L _ _ P _ I _ _ E S _ _ B P I L N _
I _ S _ _ K A _ U _ R _ _ _ I D E _ E C
N S _ _ N _ _ T _ Q N _ _ Z _ N _ _ E R
G E W I _ _ _ _ _ H O O K S A _ _ _ D O
F C L O _ _ _ L O O P S E P _ _ _ E L C
I A _ _ B _ R O L L S _ L S _ _ _ C E H
N R _ _ _ D A E R H T _ B H _ _ S R P E
I T _ E S U O L B _ _ _ M O _ _ F O O T
S _ _ C _ D H S A S _ _ I U _ _ F F I _
H _ _ R T R _ _ _ _ M _ H L _ _ U N N _
_ _ _ E R E _ _ _ _ E _ T D _ _ P I T _
_ _ _ W I S _ _ _ _ S _ _ E _ _ _ E _ _
_ _ _ E K S _ _ _ _ H _ _ R _ _ _ R _ _
_ _ _ L S _ _ _ _ _ E C A L _ T I N K _
```

Page 63

```
K R I M S _ _ _ C H I N _ _ S S U P G _
_ _ _ _ _ _ _ _ S M I L E _ _ _ _ _ R _
_ _ _ _ _ _ _ _ M _ _ _ C _ _ E H _ I _
_ _ _ F _ B S _ A _ S H _ _ _ L T _ M _
_ T _ E _ E K _ S _ E C _ _ _ K U _ A _
_ E _ A _ A I _ K E _ T O _ _ N O _ C _
_ A _ T N U N _ K _ P _ E W _ I M _ E _
S R _ U O T _ S _ _ O _ _ E L R S _ _ _
E S _ R I Y A R A C S A M _ T W _ P _ _
L _ _ E S M _ _ _ _ E _ _ _ _ H _ _ I _
P _ _ S S A J S N R U B E D I S _ _ G L
M _ _ T E R A _ _ S E Y E E R A T S L _
I _ _ F R K W _ _ _ E S O N _ _ _ _ A G
D _ _ O P _ S _ _ _ _ W H I S K E R S O
_ _ _ S X _ _ _ _ H S U L B _ _ _ _ S A
_ _ _ _ E G A Z E S _ _ _ N W O R F E T
S _ _ _ _ _ _ S P E C T A C L E S _ S E
_ I G L A R E _ _ _ F A C E L I F T _ E
_ _ Z _ _ _ _ _ _ _ _ T E E F S W O R C
_ _ _ E _ _ _ _ _ _ F R E C K L E S _ _
```

Page 65

```
_ _ S _ _ _ _ _ _ _ N E M Y R R E M _ _
S _ _ E _ _ _ _ _ _ _ _ _ _ _ _ M _ _ _
_ H _ _ E _ _ _ _ _ _ H _ M _ _ A _ _ _
_ _ E _ _ L _ K _ _ T _ A D _ _ Y _ _ _
S _ O R E H K _ C Y _ I _ A _ _ D _ _ L
C T _ _ I _ _ R M U D _ _ L _ _ A _ A E
I W O _ _ F D _ I M T _ _ L _ _ Y _ R G
P A _ R _ B F I A K _ R _ A _ _ _ _ C E
E L D _ Y O _ R S _ _ _ A B _ _ _ _ H N
_ T O _ _ W I _ _ G _ _ _ I _ _ _ _ E D
_ U O _ _ A W _ _ _ U C O U R T _ W R Y
_ O H _ N _ _ O S _ _ I _ _ _ F _ I _ E
_ _ N _ _ _ _ _ R T _ _ S _ _ _ _ L _ L
_ C I R O T S I H R I _ _ E _ _ _ L _ S
_ _ B _ _ _ _ _ _ _ A O _ L R A E S _ K
_ _ O _ D _ _ _ _ _ _ _ L _ _ _ _ T _ C
_ _ R N _ _ _ _ E U G O R P _ _ _ U _ O
D N A L G N E _ _ _ _ _ _ _ X _ _ T _ L
_ B _ _ F O R E S T _ _ _ _ _ E _ L _ _
_ _ _ S H E R W O O D _ _ _ _ _ _ Y _ _
```

Page 67

```
W B A N K _ _ _ T R I B U T A R Y _ K _
_ A _ _ _ F I S H E R M A N _ _ _ _ E _
_ I L R _ _ _ Y L O C K _ _ _ _ D _ E _
_ S _ L I _ _ D C _ _ _ D _ _ E L _ R _
_ L C E _ P _ D S U _ K _ N L _ L _ C T
_ E _ A E _ P E _ D R _ R T E _ A _ _ N
_ T _ _ T V _ L _ _ I R A O _ B F _ _ E
_ _ _ _ _ A E _ E _ _ P E _ F _ R _ _ M
_ R _ _ _ _ R L _ S _ _ A N _ _ E _ _ T
_ A _ _ _ _ _ A B E D S _ R T _ T _ _ E
_ B _ _ _ _ _ W C _ E G R A B _ A N _ V
_ D R _ D _ S _ E T _ _ _ _ _ S W I _ E
_ N E _ Y _ L G _ I K _ _ _ K _ _ S _ R
_ A I _ K _ R _ _ C R _ _ C _ _ _ A _ _
_ S P _ E O U _ O _ _ _ O _ _ _ _ B _ _
_ _ _ _ G _ P D _ _ _ R _ _ C A N A L H
W H A R F _ _ _ _ S M A D _ _ _ F _ T B
_ _ _ _ _ P O W E R P L A N T L _ U _ O
R A F T _ _ _ P O O L _ _ _ O _ O _ _ A
_ _ _ _ L E N N A H C _ _ W _ M _ _ _ T
```

Page 69

```
_ _ _ C _ _ _ S _ _ M _ _ _ _ _ M _ I _
_ _ _ A _ _ _ A _ O _ _ _ _ _ A _ _ L _
_ _ _ N _ _ _ G N _ H _ _ _ R _ _ E L _
_ _ V A E _ _ E _ _ A _ _ C _ _ D S E _
_ W E L K _ T D _ _ L _ _ _ _ I O S C _
_ H R E A _ _ _ _ _ S _ _ _ V _ R I I L
_ I M T L R _ M A N E T _ A _ O A T T E
G S E T B I H G _ _ _ _ D _ D _ S A T L
A T E O _ O T _ A _ _ _ _ R _ _ S M O Y
U L R _ _ N R _ _ I _ _ A _ _ _ I _ B _
G E _ _ _ E A C _ _ N N _ _ _ _ P _ _ _
U R N _ _ R G E _ _ O S L E A H P A R _
I _ _ A _ _ O Z _ E _ _ B _ _ _ _ _ T _
N _ _ _ S _ H A L _ _ _ _ O _ _ S _ U H
_ _ _ _ _ H _ N _ _ _ _ _ _ R N _ _ R O
_ _ Y R W O L N _ _ _ _ _ _ E O _ _ N L
_ _ _ _ _ _ _ E Y T T E _ B _ _ U _ E B
O L E G N A L E H C I M U _ _ _ _ G R E
_ _ _ _ O S S A C I P R _ _ _ _ _ _ H I
_ _ _ _ _ _ B E L L I N I _ _ _ _ _ _ N
```

Page 71

```
C H E S T _ _ _ _ S _ P _ _ _ _ _ _ _ _
R _ _ _ _ _ _ _ T R _ _ O X O B _ _ T _
E _ O R D E R O _ _ A _ _ H _ _ _ N _ S
T S _ _ _ _ R _ E M _ L _ _ S _ E _ H A
T _ M _ _ E _ D _ N E _ L _ _ V _ U C _
E _ _ R K S B C U _ I E _ O _ _ T C _ _
L _ _ O A C O O _ B _ L T _ C T O _ _ G
_ _ O _ _ H T U _ _ _ _ _ I E U _ _ A _
_ B _ _ _ O T R E Y E S _ R N _ _ T _ _
_ _ _ _ _ O L T _ _ _ _ S T _ G E _ _ _
_ _ _ _ _ L E S E C A P S S I G H T _ M
S E A S O N _ S W O D N I W _ T _ C A _
_ _ _ H _ _ _ E L _ _ _ P _ R D I R _ _
_ _ _ T E E _ S O _ _ A _ O O R K _ _ E
D _ _ U S S _ A C _ C _ P O C E _ C _ V
_ R _ O A U _ M K K _ R R U T W _ A _ L
_ _ A M C O _ E A _ I M I N D _ O N _ A
_ _ _ W _ H _ G _ A _ T _ _ _ _ _ H _ V
_ _ _ _ E _ E _ T O L L A B _ _ _ _ S _
_ _ _ _ _ R _ _ _ _ _ B L I N D S _ _ _
```

Page 73

```
_ _ R _ _ _ _ _ _ I _ _ _ I K K I _ _ _
_ B A _ H _ _ _ _ V H _ _ _ _ _ _ _ _ _
_ A K _ _ U _ F I _ _ T _ _ _ K A A _ _
_ L S _ _ R N L A _ _ _ A P L E D G E _
_ O H _ U _ L T _ T _ _ _ H _ _ _ _ _ _
_ O A O R A _ _ I _ H _ _ _ _ _ _ _ _ E
_ _ N G G E _ _ _ N S E E O N E E _ R _
_ O _ E O _ H _ S _ G _ R _ _ _ _ I _ C
H I R B _ L R T _ R M C _ W _ _ F _ F O
I S U _ A A R M O A E _ A _ O P _ L A U
L _ _ Q M G A A O R _ H _ L M L O _ L N
G _ N A A N H _ D _ B _ T A L W F J E C
W _ _ A C B _ E _ N _ D C O R _ _ U K I
O _ _ U H _ A _ E _ A _ O E R _ _ N A L
M _ B _ _ K _ T _ R _ B H O _ B _ G _ R
_ _ _ _ _ _ E _ L _ A T _ _ L _ _ L _ O
_ _ _ _ _ _ _ R _ I O P A C K B M E _ C
Y T I C T S O L E M H _ _ _ _ A _ L _ K
_ _ _ _ _ _ _ _ _ H _ C _ _ N _ _ A _ _
_ _ _ _ _ _ _ _ _ _ S _ _ G _ _ _ W _ _
```

Page 75

```
_ Z N S U D A N _ L A _ _ _ _ _ _ _ _ _
_ A _ I _ _ _ _ _ I I _ _ _ _ _ _ _ G _
_ M _ _ G _ _ _ _ B B _ _ _ _ _ _ A _ _
_ B _ _ _ E A _ _ E I _ _ A _ _ M _ _ _
_ I _ _ _ D R _ B R M _ _ _ E B _ _ _ _
_ A _ _ N _ _ O _ I A L _ _ I N _ _ _ _
M _ _ A _ _ T _ _ A N _ A A _ _ I _ _ _
O _ W _ _ S _ _ _ _ _ _ _ G _ _ _ U _ _
R R _ _ W _ _ _ A N A H G _ E _ _ _ G _
O _ _ A _ _ _ _ _ _ _ _ _ A D N A G U _
C _ N _ _ _ _ _ _ A L G E R I A E _ _ _
C A D A H C _ _ _ _ _ T _ _ _ N _ S _ _
O _ _ _ _ _ _ _ _ _ H _ A _ _ I _ _ _ _
_ I L A M _ _ _ _ I _ I _ _ _ N M _ _ _
_ _ _ _ _ _ _ _ O _ L A _ _ _ E A _ _ _
_ _ _ _ _ _ _ P _ A _ L _ _ _ B L _ _ _
_ K E N Y A I _ M _ _ O _ _ _ _ A _ _ _
_ _ _ _ _ A _ O _ _ _ G _ _ _ _ W _ _ _
_ _ _ _ _ _ S _ _ _ _ N _ _ _ _ I _ _ _
_ _ _ _ G A B O N _ _ A T P Y G E _ _ _
```

Page 77

```
D _ _ _ _ R _ I _ _ Y A L L A _ _ _ _ C
I _ _ _ _ _ E _ M E _ _ _ _ S _ _ _ _ O
S _ _ _ _ _ _ P L P _ _ _ _ U _ _ _ _ N
T R I G _ H _ T M _ E _ _ _ N R I N G S
R _ _ _ S _ N _ _ A _ D _ _ O _ _ _ _ T
I _ _ U _ E _ _ _ _ D E E _ _ _ _ _ _ R
C _ H _ G _ D E X O B _ T _ _ _ _ _ _ A
T _ _ _ L _ _ _ R D R A Y A _ _ _ _ _ I
E _ _ R I _ B _ D U L L _ _ B _ _ _ _ N
D H _ E M _ _ R _ _ T _ _ _ _ A _ _ _ _
G A _ H I _ _ D I _ _ C N _ _ _ _ _ _ _
E L _ T T _ E L L N _ _ N U A R R E S T
_ T _ E _ G O W M O K _ F I M _ _ _ _ _
_ _ _ T A C O I _ E F O _ _ C B R A I L
_ _ _ C K L R _ C _ I N _ _ _ _ E _ _ _
_ _ _ _ S B _ N _ L _ _ E M L A C R _ _
_ _ _ E A S E _ A B R E A D T H _ _ _ _
_ _ _ _ _ F _ E _ _ _ H I N D E R S _ _
_ _ _ _ _ _ R _ _ T L E B _ _ _ B I N D
B A N D _ A _ _ _ T I A R T S _ C A S E
```

Page 79

```
_ _ _ _ B _ _ _ _ _ _ _ _ _ _ _ _ _ N _
_ K _ Y E _ _ S _ C I S U M _ _ _ _ M A
_ E _ T A _ _ Y _ M H T Y H R _ _ _ Y K
_ Y _ T T _ _ M _ _ _ _ _ S E U L B H L
_ _ _ I _ _ _ P _ _ _ _ _ A I R A _ C O
_ _ _ D _ _ _ H O P M E T _ H C _ A O P
S E T O N _ _ O G N O S _ A A _ _ R M _
_ L Y R I C S N _ _ _ _ R R _ E _ T P _
C _ _ _ _ S _ Y _ _ _ M O _ _ L _ I O _
_ L _ _ C T _ S _ Y O L S _ _ T _ S S R
_ _ A H _ I _ _ H N S S _ _ _ I _ T E E
_ _ O S _ H _ _ Y O A A _ _ _ T _ _ R M
S R _ _ S _ _ _ _ R W _ E _ _ _ _ _ _ R
D O _ M _ I _ _ G Y _ _ W M O T I F _ O
_ P U E _ _ C E D R _ _ K A R O C K B F
_ O _ L _ _ U _ A T _ _ L _ L _ _ A _ R
_ P _ O R L _ _ L N _ _ O _ _ T N _ _ E
_ _ _ D B A _ _ L U _ _ F _ _ D Z _ _ P
_ _ _ Y _ _ P _ A O H E A V Y M E T A L
_ Z Z A J _ _ _ B C _ A R E P O _ _ _ _
```

Page 81

```
_ Y R T _ _ _ V O T E _ L A G E L T A _
S A _ _ _ _ C _ _ _ _ _ _ _ M P _ H P _
E W _ _ _ _ O E V I R R A A _ L _ G P _
E A _ _ _ R N _ _ _ _ D S _ _ E _ U R E
K R _ _ U _ C _ _ _ N T _ _ _ B _ O A T
S D _ M _ _ L _ _ I E _ _ _ _ I _ H I A
R E _ _ _ _ U _ F R _ _ _ _ R S _ T S R
D U T _ _ _ D D I S C O V E R C _ _ E T
O _ L T _ _ E _ _ _ _ _ A _ _ I _ _ _ I
O _ _ E L _ _ _ _ _ _ S _ _ _ T _ _ _ B
M _ _ _ _ E N O I T O N _ _ _ E N _ V R
_ K S A _ R _ C _ N _ _ _ _ _ M _ A _ A
_ O _ _ _ E E D O _ _ _ _ S E _ L _ _ _
_ P _ D E V S _ E M _ _ _ D S U _ _ _ _
_ I D I V I O V _ C E E N E E E W _ _ _
_ N N S E E H O _ _ I O G _ E _ S A _ _
_ I E C I W C I _ _ C D _ D _ R _ S R _
_ O _ E L _ _ C _ _ _ _ E _ U _ C _ A D
_ N _ R E _ _ E _ _ _ _ _ _ _ J _ E _ _
_ _ _ N B _ A D J U D I C A T E _ _ D _
```

Page 83

```
_ _ _ _ T A K E C A R E _ _ _ _ _ _ _ _
E R I F N O B _ _ _ _ M _ _ _ _ _ _ _ _
_ _ _ _ _ _ _ _ _ _ _ A _ S A F E T Y _
_ _ _ _ _ _ _ S N O I T A R A P E R P _
_ T E K C O R Y K S _ C _ _ _ _ _ _ _ _
T _ _ G _ E _ _ _ _ _ H _ _ _ _ _ H _ _
N S R U O L O C _ _ _ E _ S _ A S _ _ _
E _ _ N _ O _ F U N _ S R _ N A _ _ G O
P _ _ P _ D _ _ _ _ Q E _ T L P _ N D E
R _ _ O _ N _ _ _ U L _ I F Y _ A E _ X
E R _ W _ A _ _ I K Y C R R D B P _ Y C
S E _ D _ R _ B R A I E O A Z R R G _ I
_ P _ E _ I _ A L P D T N Z O E I _ _ T
_ A _ R _ G P P A N E G I T G F _ _ _ E
_ P _ P _ S S T U C E H _ N F _ _ _ _ M
_ H _ L _ I I H H R W E A E _ _ _ _ E E
_ C _ O D O T N _ _ _ B S _ _ _ _ R _ N
_ U _ T N _ I P M A D _ _ I _ _ A _ _ T
_ O _ _ _ C _ _ _ S M O K E O L _ _ _ _
_ T _ _ S _ G I G Z I F _ _ F N _ _ _ _
```

Page 85

```
_ _ _ _ T _ L I S A B _ _ _ _ _ _ A _ _
_ _ _ _ _ A _ _ L I V R E H C _ C _ _ _
_ _ _ _ _ _ R _ _ _ _ _ _ _ _ I _ _ _ _
_ _ _ _ _ F _ R _ _ _ _ _ _ L _ _ _ P _
_ _ _ _ _ _ E _ A _ _ _ _ E _ _ D _ A _
M _ _ _ _ _ _ N _ G _ _ G _ _ I _ _ R _
U _ _ _ _ _ _ _ N _ O N _ _ T _ _ _ S _
S _ H _ T H Y M E E A N _ T _ _ _ _ L _
T _ _ O _ _ E _ _ _ L _ A _ _ _ _ L E O
A _ M _ R _ _ U _ _ _ N _ _ _ Y E _ Y N
R A A _ _ E _ _ R _ Y _ _ _ A R _ _ _ A
D N R _ _ _ H _ C _ _ _ _ W R _ _ _ _ G
_ I J _ _ _ _ O D I L L A O _ _ _ _ _ E
_ S O _ _ _ R _ U _ _ R S _ _ _ S _ _ R
_ E R _ _ I _ _ _ N A _ _ _ _ _ _ A _ O
_ _ A _ A M I N T C D _ _ _ _ _ _ _ G _
_ _ M N _ _ _ _ _ _ _ _ _ _ _ _ _ _ _ E
_ _ D _ _ _ _ _ _ _ _ _ _ T A N S Y _ _
_ E _ _ _ _ _ _ _ _ _ _ _ _ _ _ _ _ _ _
R _ _ _ _ _ _ _ _ _ Y R A M E S O R _ _
```

Page 87

```
_ _ _ _ _ _ _ _ _ _ _ _ _ _ _ _ _ _ _ _
_ _ _ _ _ _ _ _ _ _ _ _ _ _ _ _ _ _ _ _
C _ _ L _ _ _ _ _ _ _ R _ _ S _ _ _ _ _
O C _ _ E _ _ _ _ _ _ _ E C _ _ _ _ _ _
M H W _ _ A _ _ _ _ _ _ H L _ O _ _ _ _
R A _ O _ _ D _ _ _ _ O R _ A _ W _ _ _
A I _ _ R _ _ E _ _ L E D C _ T _ N _ _
D R _ P _ K _ _ R A B _ I N _ _ I _ E _
E M _ A _ _ M _ R M _ T _ _ E _ _ O _ R
N A _ R _ _ _ A E _ I _ _ _ _ I _ _ N _
A N _ T _ _ _ M N Z E C I T N E R P P A
M _ _ N K I N G E _ _ _ _ _ _ _ _ F _ N
S _ _ E _ _ _ N _ _ _ N _ D _ H _ _ _ A
K _ _ R _ _ _ _ _ _ E T I _ O _ _ _ _ M
R _ _ _ _ _ _ _ _ E O C _ R _ _ _ _ _ A
A P E N M A N _ U W T _ S _ _ _ _ _ _ E
M _ _ _ _ _ _ Q N A _ E _ _ _ D _ _ _ S
_ R O S N E C _ T _ M _ _ _ R _ _ _ _ _
_ _ _ _ _ _ _ O _ A _ _ _ A _ _ _ _ _ _
_ _ _ _ _ _ R _ N _ _ _ H _ _ _ _ _ _ _
```

Page 89

```
_ _ _ B _ _ R U O V A L F _ D I S H _ _
_ _ E _ _ O X T A I L E L B A T E G E V
_ E S B _ S _ _ S T A R T E R _ A _ _ _
F _ P O O N _ _ T E K C A P _ _ E _ _ _
I L I W T O _ _ Y R E L E C _ _ P _ _ _
B I C L A T E N O R T S E N I M _ _ _ _
R T Y _ T U _ _ _ _ _ _ C H I C K E N _
E N _ _ O O _ S _ _ _ _ _ _ _ R _ _ _ P
_ E _ _ P R _ T _ Y T E I R A V _ _ _ U
K L N _ _ C _ N _ _ _ _ _ E _ _ _ _ _ O
_ N _ I _ Y _ E M _ _ S L S H E R B S S
I A I _ T T S I T U _ C P _ T _ _ _ _ _
N P _ R _ S U D _ O S _ _ O _ I _ _ K _
S _ _ _ D A G E _ _ M H _ S O _ R _ C B
T _ _ _ _ T A R _ _ _ A R _ E N _ L I R
A _ _ _ T _ R G _ _ _ _ T O _ S E _ H O
N _ _ _ A _ A N _ N O I N O O E L _ T T
T _ _ _ E _ P I _ _ _ _ _ _ K M _ U _ H
_ _ _ _ H _ S _ _ _ _ _ _ _ _ _ _ _ P _
_ H O T _ _ A _ _ _ _ P R O T E I N _ _
```

Page 91

T _ _ C E _ _ _ _ _ _ M _ Y _ _ _ _ _ _
R _ _ _ L K _ _ _ _ _ U _ R _ _ _ _ _ _
I R _ _ _ O A _ _ _ _ S A T _ D _ _ _ _
A A _ _ _ _ S M _ _ _ A C E _ _ R _ _ E
N L _ _ _ _ S E _ _ _ E U M _ _ _ A N _
G O _ _ P _ _ E D _ _ R T O D _ _ I W _
L P _ _ _ L _ _ L _ _ A E E E _ L _ _ _
E _ _ _ _ T A _ _ E _ _ _ G G _ _ _ _ _
_ _ _ _ H _ _ N _ _ C _ _ _ R _ _ _ _ _
_ _ _ E _ _ _ _ E _ _ S _ _ E _ _ _ _ _
_ _ O _ _ E _ _ _ _ _ _ O _ E E E R H T
_ R _ _ _ S _ _ _ W _ _ _ S S _ _ _ R _
Y _ _ _ _ U _ _ _ O _ _ I _ I _ _ I _ _
C _ _ _ _ T _ _ _ R _ D _ _ _ _ G _ _ _
_ E _ _ _ B _ _ _ K E _ _ _ _ H T _ _ _
_ _ N _ _ O _ _ _ S _ _ _ _ T _ H _ _ _
_ _ _ T _ _ _ _ _ _ _ S _ _ _ _ G _ _ _
_ _ _ _ R _ _ _ _ _ _ C _ _ _ _ I _ _ _
_ _ _ _ _ E _ _ _ _ _ R _ _ _ _ E _ _ _
_ _ _ _ _ _ _ _ _ _ _ A _ _ _ _ H _ _ _

Page 93

S T R A T E G Y C _ B _ _ _ K C I R T _
_ _ _ A E D I _ T O _ L D E S I G N _ _
_ G _ _ _ C _ _ F O N E U _ _ _ _ _ _ _
_ I _ _ P _ O _ _ R L T N E M E T H O D
_ M _ _ A _ _ U K _ A P E I P T R A H C
_ M _ _ M _ _ _ N _ _ M _ M L R _ M _ _
_ I _ _ _ _ _ _ I T _ _ E _ P T I _ I _
_ C E _ _ E P _ H _ E _ _ _ _ L U N _ A
_ K _ V _ M Z R T _ _ R _ A _ _ A O T D
_ D _ P I F A I O _ _ E P T R _ _ T _ N
_ _ R _ R R O R N P _ _ U L N R _ _ E E
_ D L A H O T R G A O _ _ G O E A _ _ G
_ I A _ F C P N M O G S _ _ I T T N _ A
_ A Y B _ T T O O U R R A P T R _ N G D
D G O R E _ H E S C L P O L R E T _ I E
E R U E M _ _ A K I _ A _ _ _ O K N _ A
V A T W E _ _ _ T S T _ T _ _ _ J C I L
I M _ _ H _ _ _ _ C _ I _ E _ _ _ E A _
C _ _ _ C _ _ _ _ _ H _ O _ _ _ _ _ C R
E _ _ _ S _ _ _ _ _ _ _ _ N _ _ _ _ _ T

Page 95

E D I S _ _ _ _ _ _ _ _ _ _ E _ _ _ _ _
_ _ R _ E K A T _ _ _ _ _ _ V _ _ _ _ _
_ _ A _ G N I D L O H _ _ _ A Y _ D _ _
_ _ I _ _ T I G H T T _ _ _ E _ T _ N T
_ _ S _ G W I N D _ _ F _ _ H _ N I P E
_ _ E _ R _ _ _ _ _ _ _ I _ N W _ E P T
_ T _ _ A _ _ R O O T _ _ L O R W _ _ H
_ _ O _ D _ R _ S T A E B D _ S U _ _ R
_ _ _ H E _ _ O T _ _ _ D _ C _ _ T _ U
_ _ _ _ S _ _ _ A _ _ N _ _ _ O _ _ _ S
_ _ _ R P B _ _ N R A _ _ _ _ T M _ _ T
_ _ E _ E O _ _ D E _ _ _ S S S _ I _ _
_ A _ _ E R _ _ I K _ _ _ O R _ U _ N _
R _ _ _ K N _ _ N O _ _ M _ _ I E R _ G
_ _ _ _ _ E _ _ G R _ _ _ _ _ T A _ G _
_ W A R D _ _ _ _ T _ _ _ _ A _ _ T _ E
_ S E T T I N G _ S _ _ _ D _ _ _ _ S _
_ _ _ S W I N G _ _ _ _ S T A G E _ _ _
_ H O L S T E R _ _ B R I N G I N G _ _
C O U N T R Y _ _ _ _ _ _ _ _ _ _ _ _ _

Page 97

_ F R O S T R E T A E W S _ _ _ _ _ _ _
S _ _ _ _ _ _ _ _ T E E L S _ _ _ _ _ _
U _ _ _ _ _ _ _ S Y U L E L O G _ _ E _
A _ _ _ _ _ _ H _ T K N I R D _ _ L S N
L _ _ _ _ _ _ _ G _ O _ _ _ _ _ B _ E A
C _ _ C _ _ Y _ _ I _ O _ _ W U Y _ V M
A S _ A _ L _ _ _ _ E _ B I A _ E _ O W
T E _ R L _ _ _ _ _ _ L N B _ _ K _ L O
N N _ O _ P _ D _ _ _ D S _ _ _ R _ G N
A O H L _ _ R _ E _ E L C I C I U _ _ S
S T _ S _ R E E _ C _ S C A R F T _ _ _
S S _ _ _ _ E O S S O _ _ _ _ _ _ _ _ _
E L _ D L O C I T E N R C R A C K E R _
L I _ _ _ T _ _ N E N O A E _ _ _ _ _ _
A A _ _ A _ C _ _ D L T W T R _ I V Y _
S H _ O _ O _ _ _ _ E T S B I I _ _ _ _
_ _ C _ A _ _ _ _ _ _ E S _ A O F _ _ _
_ _ _ L _ _ _ _ _ _ _ _ R I _ L N G _ _
G N I D D U P M U L P _ _ _ M _ L _ O _
_ _ _ _ _ _ E E R T S A M T S I R H C L

Page 99

```
_ _ _ _ C _ _ _ Y _ _ _ _ N _ _ _ _ _ _
_ N _ _ _ L _ T S V _ _ O _ _ _ _ _ _ _
_ C O _ L _ A _ E _ E I _ D _ _ D R E H
_ O C O _ E _ N C A T B L _ _ _ T _ _ _
C U O A T _ A _ T C M I _ _ _ _ R C _ _
O N V B L A _ G A _ U P _ _ _ _ O L _ N
M C E O _ L L F U G T _ U _ _ _ O I _ O
M I Y A S _ I P _ E _ R _ O _ _ P Q _ I
I L T R _ C N A _ _ _ C I _ R _ _ U _ N
T _ N D _ L H O N _ K O P B _ G _ E _ U
T _ E _ _ E G O I C _ R A _ E _ _ _ _ _
E C M _ _ N _ A O T E P C _ _ _ _ _ _ C
E O I _ _ A _ L N L A S K Y L I M A F O
E A G S _ P F _ _ G _ R _ _ _ _ _ _ _ L
L L E S R _ _ _ _ _ D _ E C _ _ _ _ _ B
G I R A E D _ _ _ _ _ N L D _ _ E _ _ _
G T _ L D _ A _ _ _ _ U A _ E C _ _ _ _
A I _ C R _ _ U _ _ B _ _ B A F _ _ _ _
G O _ _ O _ _ _ Q _ _ _ _ R _ _ _ _ _ _
_ N _ _ _ _ _ A S S O C I A T I O N _ _
```

Page 101

```
_ _ T A S T E _ L E A V E S C _ _ _ _ _
_ _ _ R E C U A S _ _ _ _ _ R U _ _ _ _
D _ I _ M A S S A _ _ _ T _ E S P _ _ F
S A W N _ C E Y L O N _ N F N T _ _ _ L
G _ R E D D _ B L E N D I R I R _ _ _ A
A E _ J R I I _ _ E _ _ M A A O _ _ _ V
B _ L _ E B A L _ L _ _ R G R N _ _ _ O
A _ _ I _ E _ N _ T _ T E R T G _ _ D U
E B R B M _ L _ _ T _ E P A S _ _ N _ R
T K E _ O O _ I _ E _ A P N _ L A _ _ _
_ N F V _ I M _ N K _ P E T _ T O _ _ _
_ I R _ E R L A _ G _ O P _ S _ _ O _ _
_ R E _ _ R I _ C _ _ T _ _ _ _ S _ S _
_ D S _ _ _ A T _ _ _ _ H E R B W _ _ E
_ _ H _ _ _ _ G S _ S _ W O L L E M O N
_ _ I _ _ T O H E U E A R L G R E Y _ _
_ _ N O O P S _ G _ _ _ _ _ H _ T _ _ _
_ _ G _ _ _ _ A _ _ _ _ _ _ C _ _ _ _ _
_ _ P O U R R _ _ _ _ _ _ _ I C E D _ _
_ M I L K _ _ _ _ _ _ _ _ _ R _ _ _ _ _
```

Page 103

```
_ _ A B U N D A N T _ P _ _ _ _ _ _ _ _
_ _ _ _ _ _ Q U E E N _ U _ _ _ _ _ _ _
_ Y _ _ _ S U O D N E M E R T _ _ _ _ S
_ T _ E S O I D N A R G _ _ S _ _ _ _ U
_ N S T U O T S T S A V _ _ _ Y S _ E B
M E U L A T N E M U N O M _ _ U _ _ L S
U L O S _ _ _ E _ _ _ _ T E O _ _ _ B T
N P R U _ _ G _ _ _ _ A L T _ _ _ F U A
G Y T O _ U E _ B _ E P N _ _ _ A _ O N
A L S M H R H E _ R M E _ _ T T _ _ D T
M T N R G _ E _ G A M _ _ _ N _ _ _ _ I
_ R O O _ F A _ _ O C J _ _ A S S A M A
_ O M N Y _ P _ M _ O U _ _ I _ _ _ _ L
_ P _ E G R A L _ _ R M _ _ G _ _ _ G _
A E R A _ D O L C _ P B H E F T _ _ N _
_ _ _ _ _ E _ _ _ _ U O _ G _ _ _ _ I P
_ C O L O S S A L S L _ I _ _ _ _ _ K M
B L O A T E D E I _ E B E S N E M M I U
_ _ _ _ _ _ _ Z B _ N _ _ _ Y G D U P L
_ _ _ _ _ _ E _ _ O T _ B U L K _ _ _ _
```

Page 105

```
_ _ R E D L U O H S _ _ _ T _ _ _ T _ _
_ _ _ _ _ T E Y E L I D O _ _ _ _ R _ K
_ _ _ _ A D A E H _ _ N _ _ _ _ _ A _ N
_ _ _ O N _ _ S _ T G _ _ _ _ _ _ E _ U
_ _ R I _ _ K M _ U U _ _ _ _ _ _ H _ C
_ H H _ S N _ R E _ _ O _ _ B _ _ S _ K
T C _ L E H S A L E Y E M _ _ I T _ _ L
_ _ I E _ _ _ E Y E S _ _ _ _ O C _ _ E
_ A S _ S _ S D N A H _ _ _ M _ S E _ S
N _ _ R _ _ _ _ E N _ _ _ A C _ _ P P _
F _ A _ _ K _ _ L K _ _ C _ H _ _ _ I S
I E L _ _ C _ _ B L _ H _ _ E _ _ _ _ H
N _ _ E _ E _ _ O E _ _ _ _ S _ _ _ K F
G T _ _ G N _ _ W S G N U L T _ _ _ C A
E _ S _ _ S _ _ _ _ S E V L A C _ H A C
R _ R I _ _ E _ _ H T _ T S P I L E B E
S _ I _ R _ _ S G _ W O E _ _ _ _ E _ _
_ _ A _ _ W _ I O _ A _ E _ _ _ _ L _ _
_ _ H _ _ _ H _ _ N J _ F S _ _ _ _ _ _
_ _ _ _ _ _ T _ _ _ S B M U H T _ _ _ _
```